**GEORGES
NICHOLSON**

CHARLES DUTOIT

LE MAÎTRE DE L'ORCHESTRE

*LES ÉDITIONS DE L'HOMME**

CANADA: 955, rue Amherst, Montréal H2L 3K4

*Division de Sogides Ltée

Données de catalogage avant publication (Canada)

Nicholson, Georges

   Charles Dutoit: le maître de l'orchestre

   2-7619-0627-6

   1. Dutoit, Charles, 1936-   . 2. Orchestre symphonique de
Montréal.   3. Chefs d'orchestre — Suisse — Biographies.   4.
Dutoit, Charles, 1936-   — Discographie. I. Titre.

ML422.D87N52 1986   785'.092'4   C86-096472-8

Bibliothèque nationale du Québec
Dépôt légal — 4ᵉ trimestre 1986

ISBN 2-7619-0627-6

pour V.J.H.

Avant-propos

Pour reprendre une expression chère au maire Jean Drapeau et qui risque de passer à l'histoire, Charles Dutoit a mis l'Orchestre symphonique de Montréal sur la carte du monde. Charles Dutoit est aussi devenu le symbole, avec l'Orchestre, d'un renouveau pour la métropole, et, si la fierté a une ville, si une signature orne la vitre arrière de certaines voitures, si un magazine nous montre une présentation de mode avec les Dutoit, si d'innombrables émissions de radio et de télévision ont réussi à apprivoiser la Musique et si la présence de l'Orchestre à travers la ville et le pays a été personnifiée par l'image de son chef, cela veut dire qu'il existe autant de raisons de brosser une esquisse biographique, un portrait de Charles Dutoit.

Le directeur artistique de l'OSM est bien sûr la source principale des références et des renseignements utilisés dans cet ouvrage; les autres témoignages ont été glanés aux États-Unis, au Canada mais surtout en Europe, auprès de ses amis, des membres de sa famille ou des musiciens qu'il a côtoyés.

Le problème qui s'est posé à l'auteur tout au long de la rédaction de cet ouvrage est triple. D'abord, Charles Dutoit est jeune. Cela n'affecte en rien l'abondance du matériel, au contraire, car toutes les sources d'information sont disponibles et les témoins vivants (sauf son père, décédé le 11 juin 1981), mais un homme a le droit de marcher dans la rue sans avoir l'impression d'être transparent.

Le deuxième écueil à contourner est le fait que Charles Dutoit est toujours vivant! Lorsqu'un individu disparaît, il est plus facile de donner un sens à ses activités passées et d'orienter définitivement les démarches entreprises. Dans le cas d'un contemporain vivant, la trajectoire est encore en devenir et ne saurait se plier aux impératifs, aussi légitimes soient-ils, d'une esquisse biographique.

Enfin, Charles Dutoit est suisse. Le lecteur voudra bien comprendre ce que cela veut dire: Un soir, avant d'entrer en scène, Charles Dutoit me demande — j'ai dans les mains la biographie d'un chef d'orchestre célèbre — pourquoi je lis ce livre. Je lui réponds à la blague que c'est pour savoir jusqu'où on peut aller. «Mais, vous ne comprenez pas, me dit-il, je suis suisse!» On sait ce que cela implique: Charles Dutoit garde, vis-à-vis des événements de sa vie, une neutralité factuelle que l'auteur et par ricochet le lecteur se doivent de respecter. Le piège facile eût été de projeter des clichés sur les faits; nous avons préféré nous en tenir au souhait tacite de celui dont nous faisions le portrait.

Que le lecteur aborde donc ce livre avec l'idée de se rapprocher un peu plus d'une île, d'en cerner les contours et d'en définir les grandes lignes. Que le lecteur veuille bien accepter de conclure ce pacte de lecture et de se saisir du fil d'Ariane qui relie entre eux les moments cruciaux de la vie qui va lui être contée.

Georges Nicholson
Montréal, le 12 août 1986

Prologue

«*Dites-moi, Milstein était-il aussi difficile à suivre hier soir que mardi soir?...*

— *Plus encore. Mais nous nous entendons mieux, maintenant. Il y a plusieurs années, alors que j'étais un jeune chef inconnu et que nous faisions ensemble le* Sol mineur *de Prokofiev, il s'obstinait à faire des choses qui n'étaient pas dans la partition, mais je lui avais prouvé qu'il avait tort. Maintenant, il est beaucoup plus souple. Vous savez, Milstein a toujours aimé se bagarrer avec les chefs d'orchestre!*

— *Et le tuba, a-t-il joué aussi mal que la veille?*»

Frühbeck répond dans l'affirmative, avec une réticence mêlée d'apitoiement. Puis il éclate presque de rire:

«*Ne me parlez pas de tuba!*

— *Le plus petit musicien de l'orchestre qui joue du plus gros instrument...*

— *Justement! Moi, j'ai toujours pensé que le joueur de tuba doit posséder le physique de l'emploi!*

— *Dites-moi,* Frühbeck, *pourquoi, dans* Tableaux d'une exposition, *ne prenez-vous pas* Les Catacombes *plus lente-*

ment, plus «largement»? C'est bien marqué largo?

— Je suis tout à fait d'accord avec votre critique et ce serait possible si je disposais des cuivres de la Philharmonique de Berlin. Mais je ne suis pas d'accord avec ce que vous avez écrit sur le saxophone (dans Le Vieux Château). Il a très bien joué, Moisan, et il est supérieur au saxophoniste de Berlin. Et je ne comprends pas que vous n'ayez pas été touché par le hautbois dans le mouvement lent du concerto de Brahms.

— Non vraiment, je ne vois pas. Le hautbois a très bien joué. Point. Mais tout ça est affaire de goût, bien sûr... Par ailleurs, je note que vos trompettes ont baissé le ton depuis le début de la saison...

— Il y a encore des problèmes de ce côté-là...

— Des problèmes d'instruments?

— Non.

— Des problèmes d'instrumentistes?

— Non plus. C'est une question d'environnement...

— À votre goût, Frühbeck, quel est le meilleur musicien de l'orchestre?...

— Disons que je pose la question au critique...

— Pour moi, c'est la flûte solo, Jeanne Baxtresser.

— Non, le meilleur musicien de l'orchestre, c'est Charbonneau (Louis Charbonneau, le timbalier).

— C'est vrai, je n'y avais pas pensé. Cela en fait donc deux ex aequo!

— Vous verrez, la saison prochaine, quand nous ferons le Burleske de Richard Strauss: ce grand solo de timbales (...)»

Cette conversation à bâtons rompus sur les musiciens de l'OSM paraît le mardi 12 octobre 1976. Les deux interlocuteurs, Raphael Frühbeck de Burgos et Claude Gingras, respectivement directeur artistique de l'Orchestre et critique musical à *La Presse*, vont, par leurs propos, provoquer une des crises les plus dramatiques que l'OSM ait jamais connues. On imagine aisément la réaction des musiciens à la lecture de cet article, tant ceux dont les noms figurent dans l'entrevue que ceux qui restent dans l'anonymat.

Quelques jours plus tard, Frühbeck part pour Madrid, où il séjournera jusqu'au samedi 27 novembre, date à laquelle il doit rentrer à Montréal pour une répétition. Pendant son absence, Jacob Siskind, alors critique musical au journal *The Gazette*, rapporte à ses lecteurs des rumeurs de mécontentement venant des musiciens indignés par l'article de *La Presse*. Frühbeck apprend que les membres de son orchestre sont froissés et leur envoie un télégramme dans lequel il se déclare outré et désolé de voir ses «confidences» rendues publiques. Mais les musiciens n'ont que faire de ces excuses: si leur chef parle d'eux de cette manière, cela signifie que le «pacte d'entente» et la confiance sont brisés. Ils ne peuvent lui pardonner cette trahison et opposent une fin de non-recevoir à toute tentative de réconciliation. Les événements se précipitent et se cristallisent dans une lettre de protestation qu'un des musiciens va donner à de Burgos à son retour de Madrid.

C'est Pierre Rolland, cor anglais de l'Orchestre et président du comité des musiciens, qui a été chargé de remettre la missive en question au directeur artistique, missive dont personne ne connaîtra jamais l'exacte teneur. Quels pouvaient bien être les griefs précis de cette protestation officielle pour laquelle quatre-vingts musiciens sur quatre-vingt-dix-huit avaient voté? Le public ne le saura jamais. Toujours est-il que de Burgos, arrivé à Montréal à quatre heures moins le quart, en repart à huit heures pour ne plus jamais y revenir.

L'annonce officielle du départ du directeur artistique de l'Orchestre symphonique de Montréal a lieu le dimanche à cinq heures durant une conférence de presse convoquée d'urgence à la Place des Arts. L'Orchestre se retrouve ainsi, en pleine saison, sans directeur artistique et sans chef. L'article de Gingras est-il seul responsable de ce départ? Non: la grève des musiciens qui a marqué l'année précédente et la disparition de l'Opéra du Québec, qui a privé les artistes d'un revenu supplémentaire, ont suscité un grand mécontentement. Et il existe certainement d'autres facteurs qui n'ont fait qu'envenimer une situation qui a fini par atteindre un point de non-retour.

L'Orchestre se trouve néanmoins désemparé. En pleine saison, les programmes, les solistes, les chefs invités sont déjà choisis; dans ce domaine, tout est d'ailleurs décidé des années à l'avance. Le départ soudain et imprévu de Frühbeck de Burgos va mettre la virtuosité administrative de la direction à rude épreuve. Il va falloir prendre immédiatement les mesures qui s'imposent. John C. Goodwin, le directeur administratif de l'OSM, se précipite dans une entreprise de sauvetage ayant pour but immédiat de trouver un ou deux chefs d'orchestre susceptibles de remplacer de Burgos et, à plus long terme, un nouveau directeur artistique qui reprendra les destinées de l'Orchestre en main. C'est ainsi que l'on verra se succéder au pupitre des chefs invités qui vont à la fois sauver la saison et se présenter auprès de l'administration, de la critique et du public dans l'espérance d'être choisis pour remplacer le directeur démissionnaire. Il faut ici rendre hommage à Franz-Paul Decker, ancien directeur artistique de l'Orchestre qui, bien que son contrat n'ait pas été renouvelé deux ans plus tôt, a l'élégance, à quelques heures d'avis seulement, d'accepter de diriger les musiciens pour les concerts des jours suivants.

Entre le 30 novembre 1976 et le 18 mai 1977, quatorze chefs se succèdent à la direction de l'orchestre. Aux côtés de Franz-Paul Decker, qui dirige six concerts, on trouve les noms de Zubin Mehta, Hiroyuki Iwaki, Kazuyushi Akiyama, Uri Mayer, Piero Gamba, Michel Plasson, Guido Ajmone Marsan, Alexis Hauser, Uri Segal, Andrew Davis, Serge Garant et James Conlon. Certains d'entre eux sont invités à plusieurs reprises; d'autres ne font qu'une seule apparition. L'amitié témoignée à l'Orchestre par Decker et Mehta ne passe pas inaperçue: ceux-ci se dépensent sans compter pour sauver la saison. Mais un nom se détache du peloton: celui de Charles Dutoit, qui a déjà dirigé à Québec le 4 mars 1975, engagé par François Magnan, directeur de l'Orchestre symphonique de Québec.

Impressionné par le curriculum vitae que lui avait fait parvenir M. Lipman de chez Herbert Barrett Management de New York et par l'appréciation tout à fait positive d'un musicien dont il connaissait l'excellent jugement, François Magnan avait proposé à Charles Dutoit de diriger à Québec. Celui-ci s'était montré intéressé et lui avait proposé deux programmes: La *Symphonie nº 83* de Haydn, Dragonetti, Bruch et les *Tableaux d'une exposition* de Moussorgsky, ou *Rosamunde* de Schubert, Dragonetti, Bruch et le *Concerto pour orchestre* de Bartok. Ils s'étaient entendus sur le second, avec en soliste, pour le *Concerto* de Dragonetti et le *Kol Nidrei* de Bruch, le contrebassiste Gary Carr. «J'ai beaucoup aimé ce concert à Québec et je me demandais si l'Orchestre ne cherchait pas un chef. Le directeur administratif de l'OSQ était d'ailleurs venu me voir en Suisse alors que je dirigeais un concert Gershwin. Je pense que si on m'avait proposé la direction artistique de l'Orchestre à ce moment-là, j'aurais accepté.»

Non pas que Charles Dutoit soit à la recherche d'un emploi. Il est, au moment même où il donne ce concert à Québec, directeur artistique de l'Orchestre symphonique de Berne et de celui de Mexico, ainsi que chef attitré à la TonnHalle de Zurich, postes qui ne l'empêchent pas de diriger dans le monde entier, que ce soit en Europe de l'Est ou de l'Ouest,

15

en Amérique du Sud, au Japon, en Australie et en Israël, et d'enregistrer un grand nombre de disques.

Si Charles Dutoit, en 1975, n'a pas encore dirigé en Amérique du Nord, c'est par option personnelle. Il sait en effet que le seul moyen de réussir quelque chose qui en vaille vraiment la peine sur ce continent est d'abord d'y entrer par la grande porte. Il est convaincu qu'il faut s'y imposer d'emblée et de façon indiscutable. Pour cela, il faut être prêt, tant sur le plan personnel que sur le plan professionnel. C'est pourquoi il avait décidé d'attendre et de frapper un grand coup dès que la conjoncture serait favorable.

Un orchestre en quête de chef

L'OSM: Depuis quand et comment?

La Société des concerts symphoniques de Montréal, fondée par le député libéral de Terrebonne, Athanase David, ne sera rebaptisée Orchestre symphonique de Montréal qu'en 1954. Cette société est créée afin que la population puisse entendre des concerts à des prix raisonnables. Ceux-ci sont dirigés par des chefs canadiens-français, et les solistes sont recrutés parmi les lauréats du prix d'Europe, créé en 1911 par l'Académie de musique de Québec. Il faut noter qu'il existe déjà à Montréal, depuis 1930, un orchestre symphonique: le Montreal Orchestra, qui donne des concerts dans l'ouest de la ville. Douglas Clarke, le chef de l'«autre orchestre», a reproché à Athanase David de favoriser les Canadiens français, à quoi celui-ci a rétorqué que «si l'orchestre rival avait accepté d'inviter plus de chefs et de solistes canadiens-français, l'Orchestre des concerts symphoniques n'aurait tout simplement pas été fondé*».

Les 50 premières années. Gilles Potvin. Montréal: Stanké, 1984. p. 35.

19

Le premier concert a lieu le 14 janvier 1935 avec Rosario Bourdon, chef canadien-français, au pupitre. Quand l'Orchestre attaque le *Ô Canada*, un courant de fierté soulève l'auditoire. La salle officielle des CSM est l'auditorium de l'école supérieure Le Plateau, située rue Calixa-Lavallée, dans l'est de Montréal. Cette salle restera d'ailleurs la maison de l'Orchestre symphonique de Montréal jusqu'à l'inauguration de la Place des Arts en 1963. Aux six premiers concerts de 1935, donnés rue Calixa-Lavallée, s'en ajoute un septième à l'église Notre-Dame de la Place d'Armes. Mais le grand événement de cette fin de première saison reste la nomination de Wilfrid Pelletier au poste de directeur artistique de la Société des concerts symphoniques. Le 16 novembre 1935, celui-ci lève sa baguette sur la première «Matinée symphonique», inaugurant ainsi une tradition qui va se perpétuer pendant de longues années. Un an plus tard, Jean C. Lallemand, industriel et mécène, fonde un prix qui va porter son nom pendant trois ans, prix ayant pour but de susciter la création d'oeuvres canadiennes, qui seront jouées par la Société des concerts symphoniques sous la direction de Wilfrid Pelletier. En 1936, ce dernier inaugure un festival qui va se tenir à l'extérieur de la ville, à la chapelle du collège Saint-Laurent, ainsi que les légendaires «Concerts d'été» qui vont se donner sur l'esplanade du Chalet de la montagne. Mais c'est sous l'impulsion de Pierre Béique, trésorier honoraire depuis 1936, que peu à peu les CSM élargissent leurs vues par «l'abandon graduel du chauvinisme qui avait jusque-là présidé à l'engagement des chefs et des solistes*». Béique devient administrateur délégué de l'Orchestre et le restera jusqu'en 1970. Grâce aux amitiés puissantes que ce responsable éclairé va susciter et à ses relations influentes, l'Orchestre verra se succéder au pupitre les chefs les plus prestigieux, et les solistes qui ont marqué l'histoire de l'interprétation de notre époque seront invités à se produire lors de concerts mémora-

---

Ibid., p. 5.

bles: qu'un orchestre à peine âgé de dix ans et sans aucune tradition musicale puisse inviter Mischa Elman, Thomas Beecham, Jean Morel, Claudio Arrau, Egon Petri, Nathan Milstein, Arthur Rubinstein et d'autres artistes tout aussi réputés, tient du prodige.

Le Montreal Orchestra, l'orchestre rival, disparaît à la fin de la saison 40-41. Deux des membres les plus actifs de son conseil d'administration rejoignent les CSM sur l'invitation de Pierre Béique, et Jean C. Lallemand en devient le président.

De 1941 à 1953, Désiré Defauw, chef belge, contraint de rester hors de son pays pendant les années de guerre, devient directeur artistique de l'Orchestre, succédant ainsi à Wilfrid Pelletier. La vocation initiale des CSM voulant que l'on engage des Canadiens français afin de les encourager dans leur carrière fait toujours partie des préoccupations de l'administration Béique, et ce dernier, dans une vision à long terme, concentre ses efforts en vue d'établir un standard international qui leur assurera une crédibilité. On peut citer ici quelques noms: Arthur Leblanc, Ernest McMillan, Germaine Malépart, Anna Malenfant, Raoul Jobin, Léo-Pol Morin, J.J. Gagnier, Edmond Trudel, Eugène Chartier, Lionel Daunais... Et le mazarin mélomane, Pierre Béique, continue d'attirer non seulement les plus grands noms comme Szell, Walter, Rodzinski, Kubelik, Stravinski, Munch, Ansermet et Stokowski, mais également les jeunes qui commencent leur carrière, comme Leonard Bernstein par exemple. Klemperer vient également à Montréal et c'est sous sa direction que Maureen Forrester chante dans la *Neuvième Symphonie* de Beethoven à la fin de l'année 1953.

De 1953 à 1957, l'Orchestre n'a pas de chef attitré mais reçoit de grands visiteurs comme Charles Munch, Pierre Monteux et Joseph Krips. Igor Markevitch, pour sa part, choisit Montréal pour ses débuts nord-américains et, l'année suivante, propose de mettre au programme *Le Sacre du prin-*

21

temps, partition jugée injouable à l'époque. C'est la révélation, et d'un chef et d'un «grand» orchestre. Les responsables de la destinée de ce dernier, qui est devenu entre-temps l'Orchestre symphonique de Montréal, décident de nommer Igor Markevitch directeur artistique pour quatre années, de 1957 à 1961.

Le 25 octobre 1961, le Forum est témoin d'un événement qui va marquer l'histoire de l'OSM: Zubin Mehta dirige La *Symphonie fantastique* de Berlioz. L'enthousiasme est tel que l'administration annonce que cet artiste de vingt-quatre ans sera le chef attitré de l'Orchestre pour la saison 61-62. Ce contrat durera jusqu'en 1967!

La saison 61-62 dessine un tournant dans l'histoire de l'Orchestre, puisqu'il s'envole pour l'Europe, avec Zubin Mehta, Jacques Beaudry, Teresa Stratas et Ronald Turini, pour se produire à Moscou, Leningrad, Kiev, Vienne et Paris. C'est la première fois qu'un orchestre canadien se déplace outre-Atlantique. Le 21 septembre 1963, la salle Wilfrid-Pelletier lui ouvre ses portes. L'OSM est enfin chez lui. Lors du concert inaugural, qui va être gravé sur disque, Zubin Mehta dirige la *Première Symphonie* de Mahler et *La Valse* de Ravel tandis que Wilfrid Pelletier assure la création de l'oeuvre commandée pour cet événement, la *Pièce concertante n⁰ 5* dite «*Miroirs*» de Jean Papineau Couture. Quelques jours plus tard, Charles Munch accompagne le pianiste Rudolph Serkin. Quant au jeune chef Pierre Hétu, il fera, cette saison-là, des débuts si remarqués qu'il sera nommé chef assistant. Enfin, en 1967, à Zubin Mehta succède Franz-Paul Decker qui restera jusqu'en 1975, date à laquelle nous retrouvons Raphael Frühbeck de Burgos. Et nous voici revenus au début de notre histoire.

Ce qu'il faut retenir de ce survol éclair, c'est l'esprit et les intentions profondes qui président à chacune des décisions, qui inspirent chacun des engagements des responsables de l'Orchestre. Après sa fondation, Béique utilise les atouts que lui donnent sa position sociale et sa vaste culture pour attirer les plus grands interprètes. (Il est inutile de rappeler que, jusqu'à Expo 67, Montréal ne jouissait pas du prestige qui est aujourd'hui le sien dans la communauté internationale). C'est ainsi que Béique met à profit sa connaissance des milieux musicaux européens et américains pour se lier d'amitié avec les futurs grands, qu'il engage: Bernstein, Mehta, Ozawa, Baremboim, Abbado... Il veille également à faire appel aux grandes écoles de direction dont les représentants se succèdent à la tête de l'Orchestre. Désiré Defauw dirige après Bruno Walter, Joseph Krips alterne avec Charles Munch et Pierre Monteux lève sa baguette à la même époque que Klemperer. Les grandes traditions allemande et française se trouvent ainsi représentées et l'Orchestre assimile les éléments qui les différencient: ces germes et ces ferments vont s'enfouir dans cette matière mystérieuse qui fait d'un simple orchestre un grand orchestre.

Audition pour un chef

Le 15 février 1977, Montréal entend pour la première fois celui qui va devenir le symbole du renouveau social, économique et culturel de la métropole.

Tout le reste de la saison, le public, sachant que chaque chef invité est un candidat potentiel au poste de directeur artistique et de chef de l'Orchestre symphonique, se montre particulièrement attentif. L'attitude de l'auditoire est plus tendue; les journalistes, les membres de l'administration, les auditeurs professionnels, bref, le public au complet attend que se manifestent le talent et les dons qui vont peut-être faire de l'invité un chef attitré. Il règne, autour du concurrent, une ambiance de cour à laquelle les musiciens ne manquent pas d'être sensibles, et ils s'intéressent plus que jamais aux qualités humaines et musicales des candidats, signes avant-coureurs, lorsqu'ils existent, d'une possible entente.

C'est dans ce climat survolté que Charles Dutoit arrive à Montréal en tant que cinquième chef invité. On a pris contact, quelque temps auparavant, avec son impresario, Terry Harrison, pour lui faire part des deux programmes imposés dont le premier comprend la *Neuvième Symphonie* de

Beethoven. Ce n'est pas celui-là que Charles Dutoit choisira. «La *Neuvième Symphonie* de Beethoven, dit-il, pose des problèmes musicaux extrêmement complexes, qui rendent malaisée une exécution au-dessus de la moyenne. Ce n'était donc pas la carte de visite idéale lors de cette première présentation. C'est la raison pour laquelle j'ai choisi le deuxième programme.»

Ce deuxième programme comprend la *Deuxième Symphonie* de Schumann, qui va lui offrir l'occasion de mettre en valeur sa compréhension de la musique allemande, la *Symphonie espagnole* de Lalo, qui démontrera ses talents d'accompagnateur et *La Mer* de Debussy, dont l'équilibre et la transparence des timbres vont l'aider à confirmer sa maîtrise dans un répertoire qui est déjà rattaché à son nom. C'est le violoniste Pinchas Zukerman qui tiendra la partie solo dans la *Symphonie espagnole*.

Charles Dutoit répète avec l'orchestre dès le lendemain de son arrivée. À cette époque, les salles de répétition ne sont pas achevées et le travail avec l'Orchestre doit se faire dans une salle que Dutoit qualifie de «scandaleusement petite». Mais les désavantages du travail accompli dans de telles conditions sont très vite compensés par la sympathie des musiciens à son égard. Il faut se souvenir que ceux-ci ont vu se succéder, depuis deux mois et demi, une série de chefs parmi lesquels doit finalement se trouver leur futur directeur artistique. Quelques musiciens connaissent déjà Charles Dutoit, en particulier James Thompson, qu'il a rencontré lorsqu'il dirigeait l'Orchestre national du Mexique. Celui-ci vient d'obtenir le poste de trompette solo à Montréal. Dutoit fait la connaissance des autres membres de l'Orchestre au cours des répétitions, puis arrive ce concert du 15 février 1977.

Les critiques sont élogieuses et leur ton laisse entendre que les concerts qui se donneront jusqu'au choix d'un nouveau chef auront un caractère compétitif. «*The skillfully muted, though dramatic beginning builds to a crescendo of crashing waves, softens to playful eddies and ripples, then fans out into a dialogue between wind and sea.*» (Beverly Smith, *The Gazette*, 16 février 1977). Même si les journaux n'osent affirmer que l'Orchestre vient de trouver un directeur artistique, tous le laissent entendre. Gilles Potvin s'exprime ainsi dans l'édition du journal *Le Devoir* du 17 février: «Sa direction, d'une clarté et d'une précision admirables, s'impose naturellement et se traduit par des résultats d'un ordre constamment supérieur. À l'instar d'illustres devanciers comme un Monteux et un Furtwängler, son travail semble être un heureux mélange d'autorité et de séduction auprès des instrumentistes qu'il a devant lui. Dès les premières mesures de la *Symphonie n⁰ 2 en do majeur* de Schumann, l'on a senti une véritable présence à la tête des musiciens.» Les commentaires positifs ne font cependant pas l'unanimité puisque Eric McLean s'exprime en ces termes dans le *Montreal Star* du 16 février: «*I was less happy about Dutoit's vision of* La Mer. *Here, flexibility is all important... the significant pause, the sudden rush, the expansive phrase. From where I sat, Dutoit's downbeats appeared to be upbeats, and his gestures were so broad, even in the quiet passages, that I wondered how he would enlarge them for the big climaxes. He didn't, and it seemed to me that many of Debussy's points were blunted as a result. Mind you, the musicians have played this score often enough to produce an acceptable performance with a minimum of direction from the podium. Last night's interpretation was somewhat better than that, but it could never be called inspired.*»

Quant à Claude Gingras, il titre: «Dutoit: notre prochain chef?» dans *La Presse* du 16 février. Et il continue ainsi: «Ce concert fut celui de Charles Dutoit, tout le concert, y compris l'accompagnement du Lalo, où l'orchestre fut aussi présent que le violon. Par sa chironomie à la fois très sobre et très précise, par la réponse toujours vive et subtile qu'il a obtenue de l'orchestre (de l'ensemble et de ses composantes), par l'expression fraîche qu'il a donnée à chaque mouvement de chaque oeuvre, bref par la parfaite synchronisation geste-son que l'on a admirée hier soir, il était évident que ce premier contact entre le chef invité et nos musiciens avait été des plus heureux et ce, dès les répétitions. On parlait même hier soir d'une très forte possibilité que Charles Dutoit, qui est jeune, qui est visiblement plein de talent, qui est francophone et qui n'est actuellement attaché à aucun orchestre majeur, soit invité à prendre la direction artistique de l'OSM. Jamais je n'ai entendu la *Symphonie no 2 en do majeur* de Schumann dans une telle perspective. On dit Schumann mauvais orchestrateur, on le dit symphoniste peu inspiré... Pourtant Dutoit n'a pas ajouté de notes! Il a simplement tiré de la partition tout ce qu'elle recèle. Il a repensé les *tempi*. Par exemple, le tout début, *sostenuto assai*, a été justement très soutenu, très lent, et, partant, très mystérieux. Il a repensé aussi le caractère de chaque mouvement. Au *scherzo*, il avait manifestement fait travailler les cordes, surtout les violons. Quelle parfaite unité de mouvement dans leur course en doubles croches et, dans le premier des deux trios, quel piquant, quel humour mendelssohnien dans le dialogue entre bois et cordes! Et quel contraste, tout de suite après, avec le sombre *adagio* en mineur, que le chef a amené à une fin très lente et très douce, tel qu'indiqué: *poco a poco ritard — molto adagio* sur double *piano*. Enfin il a repensé la partition *verticalement*, si j'ose dire, en mettant en relief les voix intérieures, par exemple, au *finale*, ces violoncelles et contrebasses qu'on n'entend jamais. Dutoit a fait dire à nos cordes des choses qu'elles n'avaient pas dites depuis longtemps; il a manifestement laissé toute la liberté aux bois et à la percussion, qui sont déjà irréprochables; et il a visiblement *poli* nos cuivres. Ou bien c'est l'orchestre qui, unanimement et de son propre chef (sans jeu de mots!) a décidé de bien jouer hier soir, parce que l'invité lui plaisait. Le Schumann a donné cette impression d'entente parfaite. Le Debussy également. Dirigeant tout de mémoire (sauf bien sûr l'oeuvre concertante),

Dutoit a créé, avec les trois «esquisses» de *La Mer*, autant de tableaux richement évocateurs de lumière et de mouvement. Ce commentaire d'un musicien de l'orchestre, au sortir du concert, sera aussi le mien: jamais, depuis Charles Munch...» Quant à Charles Dutoit, il est tout à fait ravi des résultats obtenus: «L'Orchestre a joué superbement la *Deuxième Symphonie* de Schumann. Je sentais qu'il était dans un état transitoire; les éléments nécessaires étaient là mais tout était un peu délaissé. C'était comme un jardin qui n'a pas été entretenu. Mais j'avais compris que c'était de la bonne terre. Ils ont accompagné Zukerman, qui faisait des pirouettes incroyables dans sa *Symphonie espagnole*, de façon spectaculaire. Zukerman prenait des libertés avec le texte, qui sont d'ailleurs permises, mais tous étaient présents et le suivaient remarquablement bien. C'est ce qui s'appelle avoir du métier.»

Charles Dutoit, bien que conscient de l'importance de l'enjeu, a surtout accordé toute son attention à la qualité du concert lui-même. Le lendemain, sans tenir compte d'une éventuelle proposition, il repart pour l'Europe où l'attendent ses engagements.

Qui est donc ce chef d'orchestre qui a tant impressionné la presse montréalaise? On sait de lui qu'il parle six langues, dirige partout en Europe, en Amérique du Sud, au Japon, est attaché depuis douze ans à l'Orchestre symphonique de Berne, enregistre pour toutes les grandes compagnies de disques... Mais il faut d'abord retracer ses origines familiales.

Avant Montréal

Les origines familiales

Il convient, pour parler des origines familiales de Charles Dutoit, de rappeler d'abord l'existence de sa grand-mère maternelle. Dans la Suisse du début du siècle, une certaine Eugénie Laederman va mettre au monde une petite fille du nom de Berthe-Marie. Les conditions de cette naissance ne seront pas des plus simples dans un pays que l'on peut qualifier de conservateur et à une époque où le mariage est de rigueur.

Mademoiselle Laederman a fait des études d'infirmière à la clinique La Source de Lausanne. Elle y rencontre un chirurgien britannique du nom de John Herbert Browklers. Leur histoire d'amour peut paraître banale: un jour, Eugénie apprend qu'elle porte un enfant de l'homme qu'elle a choisi et que celui-ci a déjà une épouse en Angleterre. La question d'un éventuel divorce et d'un second mariage ne se pose évidemment pas. John Herbert Browklers repart pour le Royaume-Uni, où il mourra six mois plus tard dans des conditions mystérieuses.

Berthe-Marie vient au monde quelques mois plus tard, le 16 mars 1911. Plutôt que d'être en butte à la désapprobation de son entourage, Eugénie décide de confier sa fille à un orphelinat et de partir en voyage. (Elle ne reviendra en Suisse que cinquante ans plus tard, sur l'invitation de son petit-fils.) Elle exerce son métier d'infirmière, puis devient gouvernante, nurse, dame de compagnie et finit par s'installer à Rio de Janeiro, où Charles ira lui rendre visite en 1957 lors d'une tournée avec le Collegium Musicum Helveticum — ensemble de chambre dont il est l'alto solo. Mais Eugénie restera toujours une énigme pour son petit-fils. «Pour vous dire la vérité, nous dit-il, sa version m'a paru un peu vague. J'ai toujours eu l'impression que personne ne savait rien de précis, mais elle en savait certainement plus que les autres. J'attendais donc qu'elle me racontât, mais elle n'en avait manifestement pas envie et s'était contentée de me narrer quelques bribes de son passé.»

L'existence de cette inconnue avait pourtant fasciné Charles depuis l'enfance; il rêvait de rencontrer cette femme qui avait eu le courage de quitter sa famille, ses amis, cette femme qui avait certainement beaucoup souffert et beaucoup appris de l'existence. De plus, elle avait voyagé. À l'époque où il avait entendu parler d'elle pour la première fois, elle vivait à Rio de Janeiro. Pour Charles enfant, c'était le bout du monde. Mais leur rencontre s'était soldée par un échec. Charles, malgré tous ses efforts, n'avait pas réussi à obtenir d'elle qu'elle lui confiât cet épisode douloureux de sa vie où, abandonnée par un homme insoucieux de ses responsabilités, elle avait dû se résoudre à confier son enfant à des mains étrangères. Pourtant, son petit-fils appartenait à une génération qui s'était affranchie d'une foule de préjugés moraux et sociaux et qui pouvait comprendre — sans nécessairement les endosser — les motivations qui l'avaient poussée à fuir ce monde étroit où elle aurait été exposée à l'opprobre. Il y avait en Eugénie un tel besoin de justifier l'injustifiable qu'elle n'avait jamais pris la peine d'analyser les circonstances dont elle avait été la première victime. Elle avait conçu, en outre, une sorte d'animosité absolument irrationnelle envers sa fille, animosité contre laquelle elle n'essayait même pas de lutter. Berthe avait pourtant, toute sa vie, caressé le rêve de retrouver sa mère et était prête à la chérir. Lorsqu'elles se rencontrèrent en 1971, alors qu'Eugénie faisait un séjour en Suisse sur l'invitation de Charles, la vieille dame était restée murée dans ses remords, et ces retrouvailles qui auraient pu être très douces s'étaient elles aussi soldées par un échec. Le problème était insoluble. Eugénie n'arrivait pas à faire la paix dans son coeur, à oublier. Elle avait refusé le dialogue et, par son silence et ses réticences, rendu presque pénible une rencontre qui aurait pu déboucher sur une relation sereine et affectueuse.

Elle meurt au Brésil, dans la solitude qu'elle a choisie, quelques années plus tard.

La vie d'Edmond, le père de Charles, est plutôt mouvementée. Ulysse Dutoit, père d'Edmond, possède à Sugnens un domaine, un commerce et une famille nombreuse composée d'une dizaine d'enfants dont ce dernier, qui semble être son protégé. Edmond est né le 11 juin 1895, près de seize ans avant Berthe-Marie.

À l'époque, dans toutes les familles nombreuses, les filles doivent se marier et les garçons faire des études ou entrer dans l'armée, à moins qu'ils ne deviennent pasteurs. Or, Edmond choisit le commerce. Comme son père le protège, il ne rencontre pas, au départ, de problèmes majeurs. Cependant, les choses se compliquent quelques années plus tard. Ses activités, à cette époque, sont doubles: il possède une affaire d'import-export de céréales, fourrage et graines et fait également partie de l'armée où il est capitaine et instructeur dans la cavalerie. C'est dans le cadre de ces activités militaires qu'il est victime, en 1927, d'un très grave accident de moto, dont il réchappe de justesse mais avec une commotion cérébrale qui va laisser de graves séquelles, en particulier des crises d'amnésie. Il est marié et a deux fils. (Charles Dutoit ne va rencontrer ses demi-frères pour la première fois qu'en

1980; ils ont alors cinquante-cinq et soixante ans.)

Les affaires d'Edmond vont mal; elles subissent le contrecoup de la grande débâcle des années 30. C'est à ce moment que sa première femme le quitte. Il se retrouve seul, physiquement diminué, et sa situation financière est loin d'être brillante. Il pourrait bénéficier d'une pension de l'armée — son accident a eu lieu pendant qu'il était en service —, mais plutôt que d'envisager de vivre tranquillement avec cette retraite anticipée, il préfère toucher la totalité de l'allocation en une fois pour tenter de donner un souffle nouveau à son affaire qui va à la ruine. «C'est la plus grande bêtise qu'il ait faite», dira Charles plus tard. Edmond se retrouve en effet au point de départ, c'est-à-dire sans le sou.

C'est à la même époque qu'il rencontre celle qui va devenir la mère de Charles. Berthe-Marie chante dans une chorale; il va l'écouter souvent; il l'appelle «le Rossignol du Léman»... Ils se marient le 3 mars 1932. Deux ans plus tard, un premier enfant vient au monde, Pierre, qui meurt en bas âge à la suite des complications d'une bronchite. Cette perte n'est pas la seule qu'ils auront à subir, puisque leur première fille va mourir à la naissance.

Charles voit le jour le 7 octobre 1936, trois ans avant sa soeur Mireille. Ses parents, à cette époque, se heurtent à des difficultés financières d'autant plus difficiles à assumer qu'Edmond ne parvient pas à se remettre de son accident. De plus, ses ennuis de santé sont accompagnés de problèmes psychologiques: perdre sa profession dans un pays comme la Suisse peut être vécu comme un déclassement social, et il s'agit là d'une mésaventure difficile à assumer. Le système professionnel est excessivement rigide dans ce pays; on ne peut pas reconstruire une entreprise après avoir fait faillite. «S'il avait vécu dans une société comme la société nord-américaine, cela aurait été différent, déclare son fils. Mais il ressentait néanmoins une sorte de fierté lorsqu'il se disait qu'il avait été quelqu'un.»

36

Un musicien... militaire

L'enfance de Charles va se dérouler dans un climat complexe entretenu par une situation financière précaire et un contexte politique instable. La famille Dutoit a vécu les années de guerre dans une première demeure campagnarde située à Épalinges: «En hiver, il y avait du brouillard. C'était triste. Au printemps, il y avait des colchiques», dit poétiquement Charles. Il habite au beau milieu d'un champ qu'il faut traverser pour aller à l'école. En 1941, la famille déménage et s'installe à Vennes, en bordure de la route nationale Lausanne-Berne. La vie de Charles, à cette époque, est semblable à celle des autres petits garçons de son âge. C'est la guerre, on écoute Radio-Londres le soir, on parle des Alliés, on vit avec des cartes de rationnement. La misère en Suisse est passablement différente de celle des autres pays d'Europe: le pays étant neutre, la population est beaucoup moins touchée. Un politicien du nom de Wahlen a mis sur pied un plan de réaménagement des parcs publics. Il les a transformés en jardins potagers afin que chaque famille ait un morceau de terre à cultiver. La famille Dutoit, bien que devant se contenter d'un revenu modeste, est loin d'être privée de l'essentiel. Edmond cultive son jardin et Berthe fait de menus travaux afin de boucler le budget. Elle est très habile et passe des heures à coudre, pour des jeunes filles de son entourage, des trousseaux complets. Elle fabrique même des vêtements de poupée.

Cependant la population, si elle ne manque pas de nourriture, doit trouver des moyens de se chauffer. Les véhicules qui passent régulièrement sur la route Lausanne-Berne montent en direction du nord de la ville: ils appartiennent à ceux qui vont ramasser du bois. Charles s'en souvient comme si c'était hier: «Ils tiraient leur petit char à quatre roues, montaient là-haut, faisaient des fagots avec du bois mort, souvent pas très sec, puis rentraient chez eux.» Il y a, en face de la demeure de Charles, une maison de correction entourée de prairies où les gens viennent cueillir des pissenlits. En bordure de ces champs, on peut voir ce qu'on appelle en Suisse des hydrantes, qui sont en fait des bornes-fontaines. Si Charles se souvient de ces hydrantes, c'est parce qu'il essayait de reproduire, en frappant dessus avec des bouts de bois, le rythme des musiques militaires qu'il entendait dans les parades et les défilés. «J'ai commencé à taper sur ces hydrantes avec deux bouts de bois. Le son qui en sortait me plaisait. J'avais l'impression de jouer du tambour.»

Les Dutoit déménagent à nouveau pour s'installer à Renens. Charles a dix ans et fréquente le collège secondaire où il poursuit des études scientifiques. «À cette époque, le port de l'uniforme était obligatoire dans tous les collèges. Les élèves portaient, sur la poche de leur veste, un signe distinctif. C'était une petite cocarde ornée d'une olive brodée qui était en fait le blason vert et blanc du canton de Vaud. Ils arboraient également une casquette bleue avec une ligne rouge sur la visière. L'école avait sa propre fanfare. L'idée d'en faire partie me séduisait parce qu'on allait ajouter un galon sur ma casquette. Mais c'était comme au service militaire, il y avait plusieurs grades.» En fait, l'école avait deux fanfares, la première avec les cuivres habituels et l'autre avec des fifres et des tambours, comme à Bâle, où ce genre de formation fait partie de la tradition estudiantine. Charles choisit les cuivres à cause du galon doré et du petit pompon: «Quand il y avait des parades, on défilait avec la casquette sur la tête. Je ne sais pas si c'est cela qui m'a poussé à m'inscrire dans cette fanfare; toujours est-il que je me suis présenté un jour au responsable avec un copain. Il nous a demandé de quel instrument nous voulions jouer. Nous avons examiné ceux qu'on nous proposait. J'ai choisi un énorme trombone à pistons et lui un minuscule tuba. À cette époque, nous habitions en dehors de la ville et devions prendre le train quatre fois par jour. Ce soir-là, nous nous sommes arrêtés dans une forêt et nous avons commencé à jouer à tue-tête. Puis j'ai rapporté le trombone chez moi et j'ai fait un tapage terrible pendant toute la semaine. Mon père devenait fou. Il voulait bien m'encourager à jouer d'un instrument mais il aurait préféré quelque chose de moins abominable. Alors il s'est renseigné. On donnait, dans mon collège, des leçons de violon pour la somme de 7,50 francs suisses par leçon. C'était très cher. À l'époque, une carte de train pour un nombre de voyages illimité coûtait, de mon domicile à Lausanne, 5,70 francs suisses par mois. Mais mes parents étaient généreux, dans la mesure de leurs moyens bien entendu. Ils se sont privés souvent pour nous permettre d'avoir une bonne éducation. Nous étions des enfants choyés. Mon père a donc décidé que j'allais prendre des leçons de violon. J'étais au désespoir. Je suis allé voir mon professeur, un monsieur charmant qui s'appelait Arthur Borel, puis j'ai reçu un petit violon. Les leçons ont commencé. C'était atroce: il fallait gratter cet instrument dont aucun son convenable ne sortait. Mes parents m'encourageaient beaucoup mais, jusqu'à l'âge de treize ans, je n'ai rien fait de bon. J'étais un cancre.»

Pas pour longtemps, car sa vocation va soudainement s'imposer à lui grâce à la découverte d'un film qui va le bouleverser: *Prélude à la gloire*.

Le prélude à la gloire, ou Roberto Benzi

La croisée des chemins

Que ce soit en art ou dans la vie, il n'y a pas d'oeuvre, il n'y a pas de destin où certaines lignes de force ne se croisent et ne culminent pour donner à l'oeuvre son sens et à la vie sa direction. Chaque fois qu'on le questionne sur son métier, Charles Dutoit se réfère à un événement précis, un point centralisateur de son existence, un moment particulier qui fut et demeure la plaque tournante de son orientation: la découverte du film *Prélude à la gloire*. «Ce film, nous dit-il, raconte l'histoire de cet enfant prodige qui joue de l'accordéon dans un petit village d'Italie. Il entre dans une église et il entend jouer à l'orgue la *Toccata en ré mineur* de Bach. Il ressent une émotion extraordinaire. Je crois que ce film est aujourd'hui dépassé. Mais à l'époque il m'a bouleversé. On voit ensuite cet adolescent se passionner pour la direction d'orchestre. Il apprend le métier. Il dirige tout d'abord le menuet de la *Symphonie en sol mineur* de Mozart et ensuite les *Préludes* de Liszt avec l'Orchestre de la Société des concerts du Conservatoire de Paris. C'est le grand triomphe, le début de la gloire. J'ai vu ce film au moins quinze fois. J'y amenais tout le monde. Je crois que mon enthousiasme était communicatif. Et j'étais très intolérant envers ceux qui refusaient de m'accompagner.»

La plupart des personnes qui ont vu ce film n'en sont pas devenues chef d'orchestre pour autant! À treize ans, Charles

Dutoit aborde l'adolescence par un coup de foudre pour une image, pour un symbole. Roberto Benzi, le héros du film, a le même âge que lui, et c'est à cet âge que la vocation de Charles va se manifester réellement pour la première fois. D'aucuns se seraient contentés de voir et de revoir le film, de tapisser les murs de leur chambre de photos et de coupures de journaux, auraient adopté un certain *look*; en un mot se seraient approprié les signes du culte. Mais Charles voudra réduire davantage l'écart, la distance qui sépare le mythe de la réalité. Il va rencontrer son héros.

Roberto Benzi, à treize ans, n'est pas seulement une vedette de cinéma. C'est un authentique chef d'orchestre, qui fait d'ailleurs toujours carrière. (En 1984, Dutoit, invité par la Télévision suisse romande à animer «La Veillée de Charles Dutoit» le soir de Noël, conviera, près de trente-cinq ans après le *Prélude*, Roberto Benzi et sa femme Jane Rhodes afin de leur rendre hommage.)

Dutoit écrit à la direction de la compagnie qui distribue les films de Benzi, les Productions Miramar, pour poser des questions sur son idole. Non seulement reçoit-il une photo dédicacée, mais Miramar lui apprend qu'il existe à Paris un fan club dont le nom du président lui est envoyé afin qu'il puisse entrer en contact avec ce dernier si le coeur lui en dit. Charles écrit le jour même. La réponse ne se fait pas attendre: émus par l'enthousiasme colossal de ce nouveau membre, les dirigeants du fan club lui envoient une invitation à passer quelques jours à Paris dans la famille du président.

«Cette révélation a eu pour conséquence de me propulser immédiatement à mon violon. Celui-ci, tout à coup, m'a fasciné. J'ai obtenu mon certificat d'études en deux ans. Je travaillais comme un fou. Mon professeur, qui m'avait considéré jusque-là comme un cancre, n'en revenait pas. J'ai devancé tout le monde en moins de temps qu'il ne faut pour le dire. Ce genre de motivation est capital. Si j'essaie d'analyser tout cela avec objectivité, je crois que je n'avais pas beau-

44

coup d'intérêt pour la musique avant ce film. Mais de toute façon, ce n'est pas l'intérêt qui donne le talent. On peut se passionner pour la musique et devenir un mélomane mais, pour jouer d'un instrument, il faut certaines dispositions de base. Je pense qu'elles existaient potentiellement en moi. Mais il fallait un choc pour que tout se déclenche.»

Les deux adolescents vont se rencontrer à plusieurs reprises. Lorsque Benzi viendra diriger en Suisse, Charles, qui n'a pas les moyens de s'offrir l'hôtel, passera la nuit à la belle étoile sans en dire mot à personne afin d'assister aux répétitions. Il va réussir à convaincre sa famille et la direction de son école de lui permettre d'accompagner Benzi en tournée à travers la Suisse. Celle-ci se fait sous la tutelle des parents de Roberto. Les deux adolescents, dans la voiture qui les emmène d'une ville à l'autre, chantent à tue-tête. Ils s'amusent comme des fous, s'entendent comme larrons en foire. Charles fredonne un thème musical que Roberto doit identifier et vice-versa. Ils deviennent imbattables à ce jeu et accumulent rapidement ces thèmes par dizaines. Si Charles s'est étonné, lors de leur première rencontre, de découvrir un garçon comme les autres, ce passage du mythe à la réalité lui a révélé un être adorable, enjoué, sans prétention aucune. Et tout cela n'a rien enlevé au talent phénoménal de Roberto; au contraire, l'admiration que Charles ressent pour son ami n'en est que plus vive. L'amitié romantique qui va unir ces deux adolescents aura des conséquences et des retombées déterminantes sur la vie de Charles, tant sur le plan personnel que sur le plan professionnel.

Il va donc tout d'abord passer l'été 1950 à Paris dans la famille du président du club. «J'ai déambulé dans Paris pendant à peu près cinq semaines, grâce à mon plan «Paris à pied». J'ai vu tout ce qu'on pouvait voir. J'étais totalement épuisé après cette aventure. Je suis allé au Louvre une dizaine de fois et j'ai commencé à découvrir la peinture. Mais je ne crois pas que cela ait suscité en moi, à cette époque, un enthousiasme autre que celui de la connaissance. J'avais une grande envie de me cultiver, mais le message ne passait pas encore.»

Plusieurs choses se dessinent à travers cet épisode Benzi. Et tout d'abord le pouvoir, à partir d'un indice, d'exploiter à fond, soit intuitivement, soit volontairement, une réalité. Si Charles Dutoit avait décidé de s'attaquer à l'aéronautique, à la gastronomie ou à la politique, son intelligence et ses dons, liés à l'ambition, lui auraient sans doute permis d'arriver à une réussite aussi spectaculaire. Que le talent musical ait existé, c'est une évidence, mais ce n'est ni un concert ni un récital qui a déclenché la vocation: le catalyseur a été un film qui raconte l'histoire d'un autre adolescent, né dans un village, que son talent élève au-dessus de son entourage et propulse vers les sphères supérieures de la société et vers la gloire. Ce n'est pas le plaisir de jouer du violon qui l'inspire, ce sont les conséquences de cet apprentissage qui vont servir de fil d'Ariane à la trame du cheminement qui le mènera au sommet.

La décision de Charles est prise, il sera musicien. Il entre au conservatoire de Lausanne pour se consacrer à son art. S'il y a, à cette époque, un aspect de sa personnalité sur lequel tous ses amis s'accordent, c'est sur son côté «bourreau de travail». Charles sidère littéralement son professeur, Arthur Borel, par ses progrès.

Roger Boss, directeur du conservatoire de Neuchâtel, qui va devenir un de ses amis intimes en 1958, témoigne de cette endurance à la tâche: «Il travaillait énormément. C'était extraordinaire. On ne peut parler de lui sans insister sur son assiduité et son intelligence presque visionnaire, sur sa perception si exacte, sur sa précocité. Il était, de plus, extrêmement apte à trouver les méthodes adéquates.»

Charles Dutoit se présente au conservatoire de Lausanne. Comme on le fait pour un mécanisme d'horlogerie suisse, dont tous les rouages sont assemblés de manière à fonctionner parfaitement, il va réunir tous les moyens qui lui sont of-

ferts afin d'acquérir une formation variée, solide et complète. À la théorie, à l'harmonie, au contrepoint, à l'analyse des
formes, au piano, à la composition, il ajoutera l'apprentissage de l'orchestre. Sa bonne étoile va le favoriser une fois de
plus. Un soliste a son instrument, mais un chef doit avoir un
orchestre. Le hasard veut que le petit village de Renens, près
de Lausanne, possède un orchestre d'amateurs, dont Charles
fait déjà partie en tant que violoniste. Le directeur de cet ensemble, Otto Aebi, se trouvant un jour souffrant, demande à
Charles de faire répéter les musiciens. L'expérience est si
concluante qu'on lui demande de diriger la *Petite Musique
de nuit* de Mozart. C'est ainsi que nous trouvons, pour la
première fois, le nom de Charly Dutoit chef d'orchestre sur
une affiche. Il a en effet gardé son nom de jeunesse pour cette prestation. Nous sommes le 7 décembre 1952. Le premier
concert de l'Orchestre de Renens avait eu lieu le 16 décembre 1951. Charles n'a pas perdu de temps.

Il lit énormément: Balzac, Zola, Dostoïevski, Sophocle,
Euripide, Aristophane. Il s'attaque à Sartre, même s'il a encore une certaine difficulté à saisir la pensée de ce
philosophe.

L'Orchestre de Renens

Le nom de Charly Dutoit apparaît donc pour la première fois sur les affiches et les programmes de l'Orchestre de Renens. Ce dernier, avec lequel Charles a la chance de faire ses premières armes, est un orchestre d'amateurs, au sens noble du terme, c'est-à-dire un orchestre de musiciens non professionnels qui se réunissent pour travailler sérieusement la musique. À partir de 1952, Dutoit apprend son métier et éprouve ses dons, cerne et élimine ses faiblesses, mais il découvre surtout les rapports chef-orchestre. «Faire ses premières armes de direction d'orchestre avec des amateurs permet d'apprendre comment parler aux musiciens. Si un chef se trouvait à la direction de l'Orchestre philharmonique de Berlin à la sortie du conservatoire, il ne saurait vraiment pas quoi dire aux musiciens. Il aurait l'impression de se retrouver au volant d'une Rolls Royce immédiatement après avoir passé son permis. Si j'ai pu parfaire mes capacités pédagogiques c'est parce que j'ai dû, pendant des années, tout expliquer. Lorsqu'un professeur reçoit des travaux mal faits, il ne suffit pas qu'il dise à ses élèves que leurs exercices sont mauvais, encore faut-il qu'il leur explique ce qu'il faut faire pour les corriger. Lorsqu'on doit formuler verbalement certaines choses, cela les confirme en vous. C'est mille fois mieux que d'y penser; la pensée est évanescente, fugitive.»

Charles se lie d'amitié avec Georges-André Grin, qui va devenir organisateur des concerts de Renens et rédacteur des programmes, mais aussi compositeur à ses heures. Georges-André Grin se rappelle le premier concert de musique symphonique auquel Charles et lui aient assisté: «C'était la *Cinquième Symphonie* de Beethoven avec la Philharmonie de Munich dirigée par Fritz Rieger. Rieger était un chef allemand qui faisait beaucoup de moulinets, puis le son venait quelques secondes après. Charles trouvait ça passionnant.»

Un an après ses débuts, Dutoit dirige deux mouvements du *Concertino pour orchestre* de son ami Grin, dont c'est la création mondiale. (Grin deviendra par la suite physicien nucléaire et attaché scientifique de l'ambassade de Suisse à Washington.) Charles entre dans une période exubérante où tout semble permis. Pendant l'été, les deux amis fréquentent le conservatoire de Lausanne où ils empruntent des tonnes de partitions. Il passent les vacances d'été à la maison, suspendus à la radio. Ils achètent le programme radiophonique de la semaine, soulignent en rouge les émissions musicales du pays ou des pays voisins et recherchent fébrilement les postes afin d'entendre, parfois dans des conditions d'écoute difficiles, les émissions musicales qui sont diffusées. La radio retransmet les concerts des festivals d'été européens. Charles et son ami suivent les partitions en écoutant les oeuvres. C'est à cette époque que, debout devant l'appareil radio ou le phonographe, Charles va définir sa gestique naturelle si efficace.

L'été suivant, Charles Dutoit, Georges-André Grin et le président du club Benzi se retrouvent à Paris pour l'été. Ils louent un phonographe et découvrent ensemble un des premiers disques vinyle de Decca-London, sur lequel sont gravés deux poèmes symphoniques de Strauss, *Don Juan* et *Till l'Espiègle*, dirigés par Clemens Krauss. Charly est subjugué

Edmond, le père de Charles.

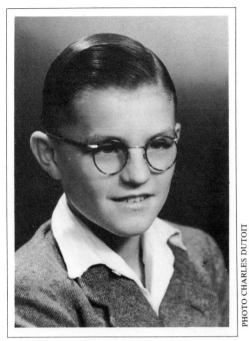

Charles à Lausanne en 1947.

Charles avec le chien Ogo à Epenex en 1950.

Charles avec sa grand-mère à São Paulo, Brésil, septembre 1957.

La maison dont le grand-père avait la charge à Epenex.

La maison de Jouxtens où Charles habitera de 1961 à 1972.

À Tours, au château de Grammont en 1953.

Souvenir de la tournée en Touraine en 1953.

Le père de Charles, surnommé par tout le monde «le Grand-Père».

Lucerne en 1955, au cours de direction d'orchestre donné par Herbert von Karajan. À la droite du grand chef, Charles.

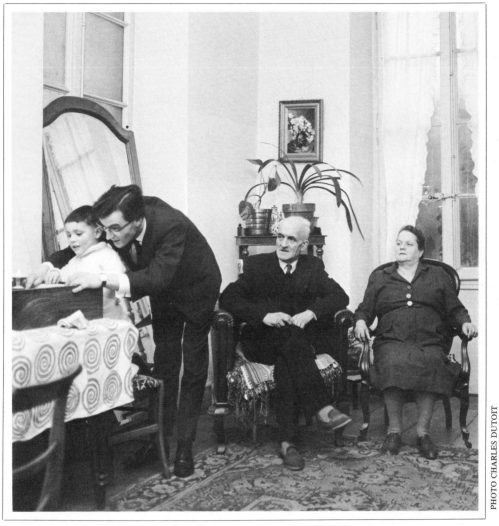

Portrait de famille, avec Berthe, le grand-père et Ivan, dans la maison des parents.

Premier choc culturel: Venise en 1955. Charles suit les cours d'été du conservatoire Benedetto Marcello.

par l'enregistrement du *Concerto pour violon* de Beethoven avec Fritz Kreisler, ainsi que par les *Concertos brandebourgeois*, dont le troisième l'enchante, et qui sont joués par l'Orchestre de chambre de Boyd Neel. Il découvre également les enregistrements restés célèbres des concertos de Schumann et de Grieg ainsi que des valses de Chopin avec Lipatti. Les amis se feront même engager comme ouvreurs pour assister gratuitement aux concerts du théâtre municipal de Lausanne. «C'est ainsi que j'ai appris à connaître le répertoire et à lire les partitions les plus complexes. J'apprenais à lire les sept clés et m'entraînais chaque jour à déchiffrer au tempo les instruments transpositeurs. Je lisais également des chorals de Bach en base chiffrée au piano. Comme j'étudiais le violon, j'avais tendance à écouter la musique horizontalement, en suivant les lignes mélodiques. Avec Bach, je m'efforçais de la percevoir verticalement et j'étais émerveillé par l'enchaînement de ses accords. La tension-détente (dissonance résolue en consonance) m'envoûtait. Je me souviens du plaisir carrément physique que m'a apporté, quelques années plus tard, l'étude systématique des enchaînements d'accords dans *Tristan*. Je trouvais cette musique empoisonnée d'une sensualité délirante. J'avais dix-huit ans, j'adorais Wagner et détestais Debussy. Je lisais *Naissance de la tragédie* de Nietzsche et les textes de Schopenhauer sur la musique. Et il ne fallait surtout pas me parler de la musique française. Seul Ravel avait grâce à mes yeux. Je pensais que toute la musique de la Schola Cantorum était juste bonne pour le purgatoire. Ce n'est que quelques années plus tard, lorsque ma sensibilité s'est affinée et ma connaissance de la musique approfondie, que j'ai compris que, si Wagner était le géant de la fin du XIXe siècle, Debussy était le plus grand musicien du XXe. Tous deux étaient immenses et dépassaient tous les autres parce qu'ils avaient créé leur propre monde. J'étais obnubilé par le rapport forme-contenu. Pour moi, les plus grands (à l'exception de Mozart) étaient ceux dont la forme découle du contenu. Mozart me semblait à ce

51

point de vue moins novateur que Haydn. Mais il était et sera toujours mon compositeur préféré; sa musique est le couronnement de son époque, la synthèse parfaite du classicisme, l'ultime perfection et, en quelque sorte, l'apogée de la civilisation occidentale. Mozart n'a jamais été dépassé.»

C'est à la même époque que Charles joue du violon à l'église catholique du Sacré-Coeur d'Ouchy, dont le maître de chapelle s'appelle Henri Jaton. Plusieurs fois par année, on y joue, pendant le service de dix heures, les grandes messes du répertoire — Mozart, Haydn, Schubert, Bach. Les différentes parties de la messe, le *Kyrie*, le *Gloria*, le *Benedictus*, le *Sanctus* et l'*Agnus Dei* sont joués, mais le *Credo* est dit par l'officiant. L'église du Sacré-Coeur est située à côté du collège du même nom dont le concierge est le père d'un ami qui étudie la percussion. Raymond Jacquier sera à l'origine d'une découverte qui va exercer une profonde influence sur Charles Dutoit. Ce musicien, qui s'intéresse beaucoup à la musique du XXe siècle, où les parties de percussion sont plus importantes que dans la musique classique, fait découvrir à Charles, partition en main, *Le Sacre du printemps*, les *Noces* et l'*Histoire du soldat* de Stravinski. C'est le choc, au sens du bouleversement, le grand défi. «Je n'arrivais pas à suivre la partition. Mes connaissances en solfège étaient trop précaires à l'époque pour me permettre d'y suivre le déroulement de l'oeuvre. J'entendais mal ces accords extrêmement ardus pour mon oreille formée à la musique préclassique et classique. Je n'arrivais pas à les saisir verticalement, je n'arrivais pas à comprendre de quoi ils étaient faits. Je me souviens très bien de ce coup de poing à l'estomac lorsque j'ai entendu pour la première fois les *Noces*, cette partition très étrange pour quatre pianos, percussions, choeur et quatre solistes. C'est à partir de ce moment que la musique de Stravinski est devenue un fil conducteur dans ma carrière et dans ma vie de musicien. La musique sauvage et païenne du *Sacre* m'avait choqué, mais choqué dans le bon sens. Elle avait éveillé quelque chose en moi, une sorte d'excitation qui allait bien au-delà du plaisir d'écouter de la musique. Cela devait même tourner un peu à l'obsession.»

Tout au long de ces années, Charles Dutoit dirige l'Orchestre de Renens. Des camarades du conservatoire viennent lui prêter main-forte pour certaines oeuvres plus difficiles. Parmi eux, Maryse Lévy, sa plus ancienne camarade de classe de violon. Il fait deux voyages en France avec elle. Ils jouent, au cours d'une tournée à travers la Touraine, *The Rake's Progress*, de Stravinski. Nous sommes en 1953 (l'oeuvre a été créée à Venise en 1951), et elle est dirigée par Christian Vöchting, qui va malheureusement mourir d'un cancer quelque temps après. «À Tours, raconte Charles, ce fut une expérience inoubliable; nous vivions dans un château et mangions à la cuisine. J'étais d'ailleurs souvent de corvée de vaisselle. Il y avait à cette époque une des plus grandes grèves des transports que la France ait jamais connues. Tout le monde voyageait en stop et la radio encourageait les automobilistes à prendre les auto-stoppeurs car il n'y avait aucun autre moyen de se déplacer.» L'année suivante, le groupe se retrouve à la salle Gaveau pour interpréter *La Passion selon saint Jean* de Bach. Charles a appris presque tous les récits de l'évangéliste par coeur, ce qui lui a permis de travailler son allemand. L'ensemble Musica Viva, un orchestre de jeunes, se réunit de temps en temps pour donner un concert. «Lors du second voyage, nous menions une vie communautaire, nous habitions dans une école, étions logés dans des dortoirs, comme les étudiants. C'étaient les années folles, c'était gentil comme tout et très pur. On était tous amis, c'était très boum boum tra la la.»

Karajan

En 1955, Charles Dutoit est invité à faire partie d'un orchestre au deuxième pupitre des premiers violons. Cet orchestre a été rassemblé pour permettre à de jeunes chefs de suivre les cours de direction et de recevoir les conseils de celui qui est déjà à l'époque un «Dieu intégral», comme le dit Charles, et qui par la suite va devenir une légende: Herbert von Karajan. «Il nous fascinait parce qu'il était extrêmement sportif. Pas du tout l'image du chef archaïque, barbu, méditatif. Il avait quarante-sept ans, était au faîte de sa carrière. Mais c'était aussi un jeune premier. Il avait toujours des cols roulés, l'air affecté, portait sa montre à l'envers et des lunettes fumées. Il conduisait une Mercedes 300 SL, comme Trudeau, avec les portes qui s'ouvrent par le haut. Cela faisait très Greta Garbo; une foule d'adorateurs l'entourait. Karajan donnait une image de chef d'orchestre tout à fait différente de l'image traditionnelle. Il venait d'être nommé chef permanent à l'Orchestre philharmonique de Berlin et dirigeait à la Scala de Milan et à l'Orchestre Philharmonia de Londres. Le voir travailler pendant plusieurs semaines, à raison de quatre à six heures par jour, fut pour moi d'une importance capitale. J'ai été réellement impressionné par le musicien Karajan, par sa manière très introvertie de faire de la musique, sa puissance de concentration, sa prodigieuse présence et cette force intérieure qui fascinait tout le monde. Au moment où il commençait à diriger, quand la musique devait commencer, quand les choses devaient simplement se faire d'elles-mêmes, la tension était telle qu'on avait l'impression que tout allait éclater. Et son geste était le prolongement de cette tension. Tous les chefs voulaient diriger la *Cinquième* de Beethoven mais nous, les musiciens, n'arrivions jamais à jouer le début ensemble. Et lui, pendant ce temps, était assis face aux chefs d'orchestre, dans les pupitres d'altos, les pieds sur le podium, avec ses lunettes de soleil et son col roulé, et il ne disait pas grand-chose. Dieu merci, je ne suivais pas ce cours de direction! J'aurais été terrifié. De temps en temps il se levait et disait: «Donnez-moi ce début!» Au commencement, on trouvait drôle qu'il se lève comme cela tout à coup, sauf qu'il restait immobile, et là on ne trouvait plus cela drôle du tout. Sa présence, son silence nous nouaient l'estomac. Il créait une telle tension que les gens n'osaient plus parler et, tout à coup, faisait un petit geste de haut en bas et la musique partait. Et c'était parfait. C'était impossible de ne pas être parfait, nous ne pouvions échapper à cette emprise prodigieuse. Ce mécanisme tension-détente m'impressionnait profondément. Je me souviens qu'il parlait sans cesse de phrasé et de qualité sonore. Il parlait également du poids de certains accords, de certains accents. Je me rappelle le début du deuxième mouvement de la dernière *Symphonie de Londres* de Haydn; nous avons répété les trois ou quatre premières mesures trente ou quarante fois, jusqu'à ce qu'il obtienne ce qu'il voulait, et surtout jusqu'à ce que nous comprenions ce qu'il voulait, comment jouer cet accent à la fin de la deuxième mesure. Je découvrais ainsi la relativité de la notation musicale. Les cours étaient extrêmement importants pour moi, dans la mesure où ils me permettaient de découvrir une autre approche de la musique qui était beaucoup plus irrationnelle que ce que

mon éducation française, disons francophone, plus carté-
sienne, m'avait enseigné jusque-là. L'approche d'Ansermet
(chef, directeur artistique et fondateur de l'Orchestre de la
Suisse romande) était exactement le contraire de celle de
Karajan. Ansermet était un homme qui voyait dans la partition un certain nombre de problèmes à résoudre. En conséquence, il y réfléchissait, en parlait, trouvait une solution et
faisait une synthèse. Pour Karajan, l'important n'était pas de
trouver des solutions définitives, la musique étant, pour lui,
toujours en devenir. Vivre dans ce monde où l'émotion musicale et la qualité de la musique, indépendamment du texte,
étaient continuellement à l'ordre du jour, avec leur poids et
leur charge émotionnelle, était extraordinaire.»

Après ce stage, Charles part pour l'Italie, où il est admis
au conservatoire Benedetto Marcello de Venise comme étudiant en violon auprès de Rémi Principe. «Après la saison de
Lucerne, nous sommes allés voir Karajan diriger à la Scala.
Il avait un secrétaire à l'époque qui s'appelait André von Matoni, qui possédait lui aussi une voiture extravagante, une
Studebaker jaune citron et vert épinard dont on n'arrivait
pas à distinguer l'avant de l'arrière. De Milan, Matoni m'a
emmené à Venise. Cette ville fut pour moi un grand choc
culturel. Sa beauté m'a fasciné. Voir un Titien au Metropolitan de New York ou dans une église de Venise n'a absolument rien de comparable. On ne peut pas faire un pas sans
voir un palais magnifique, une église superbe. Mais ce qui est
plus fascinant encore, c'est de trouver cette beauté dans une
ville qui n'a presque pas bougé. C'est là que j'ai commencé à
comprendre et à aimer la peinture italienne.»

Et le soir, dans la cour du conservatoire Benedetto Marcello, Charles écoute cette musique qu'il redécouvre avec les
célèbres I Musici, qui exhument Vivaldi, Locatelli, Gemini-
ni. Il va visiter par la suite la Grèce et l'Égypte, mais le choc
culturel y sera moindre que durant cette première année au
conservatoire de Venise. Puis il découvre Vienne. «J'avais
rencontré à Venise un type qui s'appelait Alexandre, un vio-

loniste yougoslave, qui m'a invité à Belgrade. C'était toute une épopée, à cette époque-là, d'aller derrière le rideau de fer. Mais je n'ai pas hésité. Au retour, je suis allé à Vienne pour la première fois. Vienne, en 1955, était une ville très étrange. Il y avait quatre zones d'occupation: russe, américaine, anglaise et française. C'était une ville assez triste. J'ai traversé la zone russe pour aller voir le Danube; il y avait l'étoile, le marteau et la faucille partout, c'était plutôt déprimant de voir le Danube bleu ainsi déguisé: il avait l'air d'avoir changé de couleur, d'être passé du bleu au brun.»

De l'instrumentiste au directeur et du violon à l'alto

L'année 1955 marque une étape importante dans la vie de Charles Dutoit. D'abord Karajan et Lucerne, puis Venise et Belgrade et enfin, Vienne. À son retour à Lausanne, pour la rentrée au conservatoire, Charles retrouve ses amis et surtout l'Orchestre de Renens, dont il est devenu, entre-temps, le directeur artistique. Certains des musiciens les plus connus de la scène contemporaine vont s'y faire entendre, dirigés par Charles—et non plus Charly—, dont le célèbre ténor suisse Éric Tappy et le baryton Michel Corboz, maintenant mondialement connu comme interprète de la musique baroque et comme chef de choeur. Il partage aussi l'affiche avec la violoniste Maryse Lévy (4 décembre 1954), le flûtiste André Jeanmairet, le violoniste Charles Baldinger (8 mai 1955), la soprano Simone Mercier et le violoncelliste Guy-Claude Burger (11 mars 1956), dont les renommées n'ont pas franchi les mers.

À la fin de l'année scolaire, Charles reçoit son diplôme de violon. Il fait un nouveau séjour en Italie au cours de l'été puis revient à Lausanne pour jouer de l'alto dans un orchestre de casino. «C'était un petit orchestre qui jouait dans des kiosques ou dans des halls d'hôtels. On ne voit plus beaucoup cela aujourd'hui. Ces «Concerts d'été à Lausanne» étaient dirigés par un chef assez extravagant qui s'appelait Pignolo. Le répertoire qu'il proposait a presque complètement disparu. Il s'agissait de fantaisies, d'arrangements, de paraphrases d'opéras de Puccini, Mascagni, Verdi, Bizet, tout le monde y passait, sans compter les petites ouvertures arrangées pour petit orchestre de salon. C'est un peu ce qu'on peut voir dans les films de Visconti ou sur les scènes de certains cafés. C'est ainsi que, deux fois par jour, le matin à onze heures et le soir pendant une heure et quart environ, nous déchiffrions. C'était le baptême du feu, parce qu'on ne répétait pour ainsi dire jamais. C'est à force de lire et de relire que le métier nous entrait dans la peau. Il fallait se débrouiller, nous n'arrivions pas à tout jouer parfaitement et nous étions obligés de tricher pour retomber sur nos pattes, deux mesures plus loin. Nous travaillions énormément à cette époque. Et nous passions souvent des nuits à jouer en quatuor avec des amis.»

Avec l'argent qu'il gagne cet été-là, Charles s'achète un scooter. Après les concerts, les musiciens se retrouvent soit chez l'un soit chez l'autre. «(...) Et là, on faisait des quatuors, des quintettes, des septuors, bref de la musique, pendant des heures et des heures. Après cela, on ouvrait une bouteille de vin, on mangeait et on recommençait.» Ils vont faire de la voile; une camaraderie se développe entre les musiciens chevronnés et les débutants. Quant à Charles, il est passé du violon à l'alto. «L'alto m'a permis deux choses: gagner ma vie d'abord, car il y a pénurie d'altistes, et ensuite parfaire mon développement de musicien, car l'alto est un instrument qui, étant au milieu de l'orchestre, fait le pont entre le violon, le violoncelle et la contrebasse. Ainsi, les notes que vous jouez sont toujours des notes importantes dans l'harmonie qui va de l'aigu au grave. L'alto permet de développer une certaine façon d'écouter et de faire de la musique qui est différente de celle du violon.»

Genève

En automne 1956, Charles entre au conservatoire de Genève où il approfondit toutes les branches théoriques: l'harmonie, le contrepoint, l'analyse des formes, l'histoire de la musique, l'orchestration (c'est-à-dire prendre une sonate pour piano et la traduire à l'orchestre) et la composition. Il s'inscrit également à des cours de percussion, de direction d'orchestre avec Baud-Bovy et d'alto avec Ron Golan. À ces études théoriques, Charles ajoute, si l'on peut dire, le geste à la parole. Il existe à cette époque à Genève un des plus grands orchestres du monde, l'Orchestre de la Suisse romande, fondé en 1918 par Ernest Ansermet. Nul, mieux que Dutoit, ne peut parler de ce chef d'orchestre: «Ansermet avait fait une carrière mondiale. Il avait été le chef d'orchestre des Ballets russes de Diaghilev au début du siècle et avait sillonné le monde pour finalement revenir en Suisse fonder l'Orchestre de la Suisse romande. Il appartenait à tous les milieux littéraires et musicaux mais il était aussi mathématicien, avec une formation intellectuelle très rigide, très stricte. Ansermet avait décidé non seulement de comprendre mais d'expliquer ce qu'était la musique, au-delà de la partition et de la composition, qui n'en représentent que le côté matériel. Il voulait penser le phénomène musical, le rapport de la musique avec le subconscient; il voulait expliquer l'inexplicable. Il est difficile d'écrire sur ce sujet-là. Après la guerre, en passant par Sartre, il en est arrivé à Husserl et à la phénoménologie et là, dans ce système de pensée, il a cru trouver l'outil idéal pour expliquer le phénomène musical. C'est le résultat de ses recherches qu'il a publié dans un ouvrage intitulé *Les Fondements de la musique dans la conscience humaine*, ouvrage énorme et parfaitement indigeste sous certains aspects, mais dans lequel on trouve des réflexions géniales sur la musique. Ce bouquin était omniprésent dans ma vie à cette époque. Tous les musiciens en parlaient. J'ai rencontré Ansermet. J'allais le voir chez lui, on parlait de choses et d'autres et j'assistais à toutes ses répétitions. C'est l'homme qui m'a le plus marqué au point de vue musical à cette époque. Il ne m'a jamais donné de cours, mais il était un peu mon mentor, comme il l'était d'ailleurs pour mes collègues. Ses goûts musicaux étaient les nôtres, sa manière de concevoir la musique était la nôtre. Quand je dis la nôtre, je parle du public de Suisse romande.»

Charles Dutoit passe environ six heures par jour aux répétitions des chefs d'orchestre qui viennent à Genève. Il se rend chaque jour au Victoria Hall et, installé au petit balcon qui se trouve au-dessus de l'orchestre, partition en main, assiste aux répétitions. L'après-midi, il travaille son instrument, le soir il va au concert. «Vous entendez d'abord l'oeuvre quand elle est déchiffrée, puis vous voyez comment le chef organise la mise en oeuvre de la partition. C'est un moyen d'apprendre. Ou alors vous avez la chance de jouer dans un orchestre, ce que j'ai fait pendant huit ans, et vous y apprenez ce qu'il faut faire et ne pas faire. Mais il est extrêmement important qu'un futur chef assiste à des répétitions d'orchestre. Je ne puis d'ailleurs comprendre cette désaffection des jeunes musiciens pour cette part essentielle de leur apprentissage. En dix ans d'activités montréalaises, je n'ai eu la joie d'accueillir que deux musiciens, dont l'un venait de l'Ontario, aux répétitions de l'OSM. Cela me paraît déplorable. Cet orchestre devrait pourtant être, pour un jeune chef québécois, ce que l'Orchestre de la Suisse romande a été pour moi.»

Une rencontre importante et qui aura un jour des répercussions profondes dans la vie de Charles est celle de la pianiste Martha Argerich. «Je l'ai connue en 1957 au conservatoire de Genève quand nous étions étudiants. Elle avait gagné en trois semaines le premier prix au concours Busoni à Bolzano et le prix du concours de Genève. Je finissais mes études et elle donnait déjà des concerts. C'était un prodige.» Cette première rencontre a lieu un jour où Charles raccompagne la compagne d'appartement de Martha, surnommée Cucucha. Trois heures s'écoulent dans un immense éclat de rire. Ensuite, ils se revoient souvent. Martha se rappelle leurs embrassades fracassantes dans les corridors du conservatoire et une soirée costumée où Charles est arrivé déguisé en Baby Doll. Il reste parfois pour la nuit et, bien que dormant tout habillé sous le piano, se relève le lendemain matin sans un pli, tip-top.

Cette amitié va se concrétiser par un contrat pour Radio-Lausanne, contrat d'enregistrement où Charles va diriger la *Sixième Symphonie* de Haydn, la *Ballade pour orchestre* de Jean Balissat et le *Concerto en sol* pour piano et orchestre de Ravel, avec en soliste Martha Argerich.

Charles à vingt ans

Les témoignages recueillis auprès de ceux qui ont connu Charles au début de sa carrière concordent et se recoupent. Il est, à vingt ans, très impétueux. Il y a chez lui un tel débordement d'énergie, une telle vitalité et une telle ambition qu'il crée autour de sa personne une atmosphère survoltée qui dérange. Charles ne tolère pas la tiédeur. Ses gestes ont une telle ampleur qu'on pourrait croire qu'il porte une cape. Il est ténébreux et exalté, avec quelque chose de Paganini avec sa chevelure noire et son air romantique. Il joue du violon mais personne, apparemment, ne l'a entendu. Un jour où Jean Balissat demande à Maryse Lévy comment Charles jouait, elle lui répond: «Il n'y avait pas la moitié des notes qui étaient justes, mais c'était génial.»

Balissat insiste également sur la capacité du jeune chef de voir à travers la matière et le fonctionnement des choses, comme s'il était doué d'une vision au laser. Le ténor Éric Tappy corrobore ces propos et projette une lumière toute particulière sur le personnage de Charles à l'époque: «Il était non seulement impétueux mais provocateur, dans le sens où il suscitait des réactions. Il était survolté, c'était presque effrayant; son dynamisme était presque exagéré, il avait toujours besoin de bouger, de faire quelque chose. Il faut dire qu'il ne venait pas d'un milieu musical ni même intellectuel; il n'y avait ni artiste ni écrivain dans sa famille, et peut-être que ce désir de briser le moule, d'aller ailleurs, de créer, était de sa part une réaction de sauvegarde vis-à-vis de sa vocation. Être musicien dans un orchestre ne l'intéressait pas, c'était un poste trop confortable. Il refusait de faire partie de quelque chose de fixe et de déterminé. Ce n'était pas de l'orgueil, c'était un refus de la facilité.» Charles s'entoure de personnalités dynamiques. Il provoque des rencontres pour faire éclater les choses. Et Éric Tappy continue ainsi: «Mais, comme tout artiste doué d'une grande générosité, il se protégeait également. Il y avait là une part d'égoïsme. Mais tous ceux qui font une carrière sont de grands égoïstes. C'est le propre des artistes authentiques. Lorsqu'il dirigeait, il le faisait de mémoire; sa gestique n'était pas exagérée. Elle était foudroyante.»

Lorsque Charles commence à travailler dans un domaine plus professionnel et que les critiques commencent à se déplacer pour l'entendre, Victor Desarzens, fondateur et directeur de l'Orchestre de chambre de Lausanne, prend ombrage de cette menace à son prestige que représente cette nouvelle étoile qui monte. Il ira même jusqu'à boycotter le jeune artiste lorsque celui-ci commencera à monter des Stravinski. Éric Tappy tente de reconstituer l'ascension de Charles Dutoit dans le contexte de la Suisse musicale de l'époque: «Il y avait, à Genève, Ansermet et le conservatoire, où se donnait un enseignement très poussé, et les «produits» du conservatoire intéressaient Ansermet. Henri Gagnebin, le directeur de cette école, était un humaniste. Il avait attiré là de jeunes musiciens, comme Martha Argerich par exemple. Genève était plus importante que Lausanne à ce niveau-là. Et Ansermet représentait, dans le domaine musical, l'image que la Suisse aime bien avoir d'elle-même, cette image du père qui connaît tous ses enfants-musiciens, ce père à qui ils vont raconter leurs problèmes, leurs petites misères, ce père qui n'est pas seulement un chef mais qui génère et engendre l'esprit de l'orchestre. Les jeunes musiciens ressentaient cela; ils avaient, grâce à lui, acquis la conviction qu'on pouvait devenir quelqu'un en étant suisse. Ansermet leur montrait qu'à travers la musique on pouvait connaître et aimer l'autre, qu'il y avait, dans la partition, des traces, des rapports d'amitié. L'apport d'Ansermet était énorme. Tout le monde aimait cette façon de faire de la musique. Cet esprit, qui s'est un peu dilué aujourd'hui, a fait le succès des musiciens suisses car il répondait à une image dont ce pays avait besoin. Même si Charles n'a jamais été enraciné dans son pays d'origine, même si la manière avec laquelle il abordait les partitions était déjà très internationale, pourrait-on dire, il appréciait beaucoup l'enseignement d'Ansermet.»

La Suisse de cette époque, comme celle d'aujourd'hui d'ailleurs, se définit davantage par ses grands noms que par ses racines profondes. Une seule tradition: les choeurs mixtes et les choeurs d'hommes, qui peuvent et pourront toujours se mesurer au niveau européen et mondial. Ansermet, pour sa part, dirige un grand nombre d'oeuvres qui ne sont pas inscrites au répertoire. Dans les années 50, Desarzens et son orchestre redécouvrent la musique baroque. À cette époque, même si les styles d'interprétation ont beaucoup changé, il s'agit de retrouver la musique elle-même. Ansermet et Desarzens créent deux orchestres. La Suisse allemande, qui a toujours été plus riche que la Suisse romande, a beaucoup de mécènes; il n'est que de penser à Paul Sacher et à toutes les oeuvres qu'il a commandées. Quant à Desarzens, c'est un violoniste d'une extraordinaire curiosité, avide de musique, avide de diriger des oeuvres classiques. Il puise aux sources de la musique et participe à la «redécouverte» du baroque. «Quand nous avons monté *Le Couronnement de Poppée* de Monteverdi, explique Éric Tappy, j'étais loin de penser que je le chanterais sur toutes les scènes du monde.»

Charles veut prendre des cours de direction à Rome. Mais ce projet n'aboutit pas. «À cette époque, nous dit-il — c'était en 1954 —, je suis allé à Rome et j'ai vu Sophia Loren. Elle se trouvait dans les ruines de l'ancienne Rome, au *Foro romano*, pour des séances de photos. Moi j'étais là pour prendre des cours de direction au conservatoire. Mais il fallait d'abord que je passe des examens d'admission. En fin de compte, je n'ai pas pu suivre ces cours faute de moyens financiers: je n'avais pas de bourse. J'ai donc quitté Rome, mais j'avais vu Sophia Loren!»

C'est alors que Charles est engagé par l'orchestre des Ballets du marquis de Cuevas, une troupe très célèbre dont la maison mère se trouve à Monte-Carlo. Le marquis de Cuevas est un grand mécène, il entretient sa propre troupe. Ses spectacles ont beaucoup de succès; il règne, autour de la troupe et des artistes, cette effervescence qui caractérisait, avant sa disparition, la troupe de Diaghilev.

Charles forme également, sous l'impulsion de son professeur de musique de chambre, un quatuor à cordes où il tient la partie d'alto. «Le premier violon s'appelait Victor Martin qui, malgré son nom tout à fait français, était gitan espagnol. Ce musicien est très connu au Canada où il est venu par la suite pour y travailler avec l'ancien violon solo de l'Orchestre de la Suisse romande, Lorand Fenyves, qui était premier violon dans l'*Histoire du soldat*, que j'ai montée en 1958. Le deuxième violon était et est toujours un violoniste italien très connu, Uto Ughi, qui fait une très belle carrière. C'était une sorte d'enfant prodige. Il était tout jeune et étudiait au conservatoire de Genève. Quant au violoncelliste, il est toujours à l'Orchestre de la Suisse romande.»

Avec sa grande amie Maryse Lévy, Charles participe à une tournée d'opéra. La troupe fait un tour d'Italie, de Sicile et de Sardaigne et joue *L'Enlèvement au sérail* de Mozart et *Le Mariage secret* de Cimarosa. Au printemps 1958, Charles et ses amis se retrouvent dans un orchestre pour le congrès des Jeunesses musicales qui va se dérouler dans un premier temps à Vienne, puis à Bruxelles où aura lieu l'Exposition universelle. Charles joue de l'alto, Jean Balissat est à la percussion et le maître est le grand Hermann Scherchen. Dès le premier jour, Scherchen leur fait la déclaration suivante: «Vienne est une ville magnifique mais, pour votre bien, je ne tolérerai aucune absence.» Il connaît la place de chacun dans l'orchestre. Pierre Métral, le timbalier de l'Orchestre de la Suisse romande, fait également partie du voyage. «Un soir, nous dit Jean Balissat, nous décidons de boire de la bière et d'aller hurler ensuite jusqu'à extinction des voix dans les terrains de crue du Danube. Le lendemain, Charles est absent. Je vais voir Scherchen pour lui faire des excuses au nom de mon ami, et il répond simplement: «Ah oui, le troisième pupitre à gauche!» Il connaissait tout le monde. L'atmosphère, pendant cette tournée, était survoltée, mais nous étions presque à la hauteur.»

De l'Argentine au Brésil

À la fin de l'année scolaire, Charles, qui n'arrive jamais à assouvir sa soif de voyages, reprend la route. Il se trouve qu'un orchestre de chambre, le Collegium Musicum Helveticum, dirigé par un certain Schumacher, recrute des musiciens pour faire une tournée en Amérique du Sud. Charles est engagé comme altiste solo. Les répétitions ont lieu à Zurich et de là l'orchestre embarque sur le «Conte Biancamano», navire italien en partance pour Buenos Aires. Le bateau fait escale un peu partout. Comme la traversée va durer dix-huit jours, l'orchestre répète sur le «Conte Biancamano» et y donne même deux petits concerts. L'itinéraire de la traversée va mener la troupe à Gênes, Barcelone, Lisbonne, Madère et Dakar, d'où ils vont entreprendre la traversée de l'Atlantique. «En arrivant en Argentine, on apprend qu'il y a une épidémie de grippe asiatique et que les gens tombent comme des mouches. Les autorités médicales refusent de laisser entrer l'orchestre. Heureusement, nous rencontrons Andres Segovia, et nous pouvons grâce à lui terminer notre tournée. Nous sommes restés trois semaines à Buenos Aires. Nous avons joué au théâtre Colon où nous avons eu la joie d'entendre le grand guitariste. C'était impressionnant de voir ce petit homme sur cette scène immense. Nous étions dans la troisième galerie et entendions le moindre frottement de ses doigts sur les cordes.»

Ce qui dans cette tournée, en dehors de ce concert spectaculaire, marque Charles Dutoit, c'est une habitude alimentaire sud-américaine dont il va nous parler longuement: «Les Argentins, à cette époque, ne mangeaient que de la viande, qui était le produit le meilleur marché dans le pays. La qualité de cette viande n'a rien à voir avec celle que l'on trouve en Europe. Le boeuf argentin est réputé comme étant le meilleur au monde. Nous en mangions constamment, deux à trois fois par jour, dans les restaurants ou dans les garden-parties qui se déroulaient dans la pampa. Nous prenions l'hélicoptère pour nous y rendre. Ce qu'il y a d'extraordinaire avec les Argentins, c'est leur rythme de vie. Ce sont des gens qui se couchent très tard. Ils passent une partie de la nuit à discuter chaleureusement. Ils avaient même inventé l'Orchestre Coca Cola, dont le principe est très simple: selon la quantité de liquide qu'on laisse dans la bouteille, on obtient différentes hauteurs de son. Alors, on s'accorde puis on boit, puis on s'accorde à nouveau, et puis on joue des thèmes connus. Nous raffolions du *Beau Danube bleu*. Chacun jouait sa note, on s'amusait comme des fous. Les Argentins ont une gentillesse naturelle, une grande générosité qui les rendent très attachants, et ils ont surtout le temps de vivre, une chose que nous ne connaissons plus aujourd'hui.» L'Orchestre se rend ensuite à Montevideo, la ville la plus cultivée de l'Amérique du Sud à cette époque, avec Buenos Aires. Il y a là une intelligentsia très raffinée et très concentrée. Ces deux centres sont très fréquentés, surtout pendant l'hiver qui, dans cette partie du monde, correspond à notre été. C'est d'ailleurs la raison pour laquelle les plus grands artistes de l'opéra, du ballet et de la musique peuvent s'y produire: cette saison coïncide avec la saison morte. Ils se font entendre là-bas pour des sommes fabuleuses. Puis la tournée se poursuit au Brésil, à Rio de Janeiro et à São Paulo. C'est d'ailleurs au cours du séjour à Rio de Janeiro que Charles, on s'en souvient, rencontre pour la première fois sa grand-mère. Puis, en route vers le Brésil, il est pris, avec ses compagnons, dans un orage mémorable pendant l'atterrissage à Florianopolis. «Nous avons cru notre dernière heure venue. Nous avions l'impression d'être dans un hydroglisseur. Ensuite nous avons pris la route pour Ponta Grossa. Ce fut une expérience extraordinaire. Les Brésiliens, à l'époque, utilisaient des voitures américaines des années 50, sans vitres; elles étaient remplacées par des planches. La route, de terre battue, était complètement inondée, on roulait dans la boue. Finalement, après quatre heures de voyage, nous sommes arrivés à Ponta Grossa. Nous ne nous attendions vraiment pas à trouver une quelconque vie culturelle dans ce village. Et pourtant, c'est là que nous avons rencontré le célèbre violoncelliste français Pierre Fournier. Notre séjour là-bas a été extraordinaire. Un jour, un millionnaire a affrété un avion pour nous emmener aux chutes de l'Iguaçu.

«Il y a là vingt-trois chutes de quatre kilomètres de large. Nous nous sommes dit que les chutes du Niagara, à côté de cette merveille, ressemblaient à des dents de râteau! Le mode de vie des Brésiliens nous semblait démentiel. Pour nous, qui avions vécu la discipline économique et la discipline énergétique, qui ne sortions pas d'une pièce sans éteindre la lumière et qui roulions dans des petites voitures pour économiser l'essence, cette opulence, cette prodigalité étaient irréelles.»

Les derniers diplômes...
et le premier contrat

Le retour en Europe est difficile. Après l'éclatement des sens et de l'imagination, après cette vie mondaine, intellectuelle et amicale, Charles doit affronter sa dernière année d'études au conservatoire de Genève. Mais il est prêt, et l'année va se terminer avec l'obtention d'un premier prix de direction d'orchestre. Les examens se sont déroulés en plusieurs étapes et Charles a eu le plaisir de diriger l'Orchestre de la Suisse romande: «Vous pouvez imaginer à quel point j'étais nerveux. C'était l'orchestre d'Ansermet et c'était un peu le centre du monde pour moi à cette époque.» Charles dirige la *Huitième Symphonie* de Beethoven et le *Deuxième Concerto pour piano* de Liszt. Celui-ci termine la première partie du programme. Il dirige ensuite l'oeuvre qu'il a choisie. C'est l'*Histoire du soldat* de Stravinski. «Cette *Histoire du soldat* me fascinait, avec tous ses rythmes inégaux qui sont le propre de la musique de Stravinski. Il n'y a que sept instruments dans l'*Histoire du soldat*, qui sont constitués par le grave et l'aigu de chaque famille: le violon et la contrebasse pour les cordes, la clarinette et le basson pour les bois, la trompette et le trombone pour les cuivres et une partie de percussion. Cette partie de percussion est extrêmement complexe. Je l'avais apprise en tapant sur des tabourets de cuisine avec des baguettes.» Madame Loew, le professeur de violon de Charles, se souvient de ce curieux apprentissage. «Charly n'était pas sitôt arrivé dans ma cuisine qu'il l'avait transformée en chambre de percussion. Tout lui était bon, les tabourets, les chaises, et même les casseroles. Et voilà qu'il me joue, partition sous les yeux, la rythmique de l'*Histoire du soldat!*»

Charles Dutoit va non seulement recevoir son premier prix de direction d'orchestre, mais Alceo Galliera, qui est membre du jury, l'invite à venir se perfectionner le même été à l'académie Chigiana de Sienne. L'idée de ce nouveau voyage séduit notre jeune chef et le voilà parti pour Sienne. Mais une mauvaise surprise l'attend. Galliera se révèle impossible, n'arrêtant pas de vociférer et de jurer, en italien, des choses non seulement intraduisibles en français mais aussi parfaitement inconvenantes. «J'avais l'impression qu'il me détestait. En tout cas, il n'arrêtait pas de me hurler des choses horribles.» Galliera suggère à son élève de travailler la suite de 1919 de *L'Oiseau de feu*. Commence alors le travail avec l'Orchestre communal de Gênes, orchestre officiel des cours de direction. «Je crois que j'étais l'élève le plus assidu. Je n'ai rien vu de Sienne. J'avais fait venir les parties d'orchestre, dont je corrigeais les fautes; je travaillais du matin au soir. J'étais surpréparé, et le concert fut un grand succès.» Galliera, devant cette réussite, se montre impressionné.

Le succès de *L'Oiseau de feu* à Sienne crée de tels remous que le chef du service musical de Radio-Lausanne, Julien-François Zbinden, engage Charles pour l'enregistrement de deux concerts donnés les 9 et 19 janvier 1959. Un premier contrat est un moment très important dans la vie d'un musicien. Il allait rapporter à Charles la somme de deux cents francs suisses. On sait que, pour ce premier concert, Charles a choisi la *Sixième Symphonie* de Haydn, le *Concerto en sol* de Ravel et a inscrit au programme, en témoignage d'amitié, une oeuvre de Jean Balissat, *La Ballade pour orchestre*, dont ce sera la création mondiale. On sait aussi que la soliste sera cette jeune femme qu'il a rencontrée pour la première fois en 1957, Martha Argerich, et l'orchestre celui de Radio-Lausanne, avec lequel il joue depuis longtemps. Charles aura un autre engagement, cette même année, à Radio-Genève.

Voyage aux États-Unis

À la même époque, une Américaine d'origine syrienne, Ruth Cury, s'installe à Lausanne avec sa soeur pour y étudier la peinture avec Ozenfant. Elle a décidé de passer une année sabbatique en Suisse. Ruth et sa soeur rencontrent par hasard la mère de Charles, qui leur parle longuement de son fils. Lorsque Charles et Ruth font connaissance, il ne parle qu'un anglais appris à l'école, et le français de la jeune femme est plutôt approximatif. Il a vingt-trois ans, elle trente-trois. Jean Balissat se souvient du couple: «Elle était plus âgée que lui. Elle le rassurait. Mais il y avait en Charles un tel débordement d'énergie, une telle vitalité, une telle ambition que, la passion s'étant évanouie, il lui est devenu difficile de s'occuper à la fois de sa carrière et de sa compagne.» Ce sont, en fait, deux façons diamétralement opposées de voir le monde qui se trouvent en présence. La beauté de Ruth lui donne une arrogance naturelle qui la pose à un niveau supérieur. Elle s'intéresse aux choses spirituelles, à Krishnamurti, au repos de l'âme... Pour Charles, qui ne tolère pas les sujets intangibles, qui est l'homme du concret, pour qui la discipline, la rigueur, le travail sont essentiels, tout cela est incompréhensible.» Roger Boss, qui a fréquenté le couple, en parle ainsi: «Il faut dire qu'elle avait un credo dont le premier article était: *Le travail est un péché*. Comme elle ne voulait pas pécher, elle ne fichait rien. Mais elle avait une conversation superbe, elle était intelligente et spirituelle. Mais il ne fallait pas lui demander de travailler.»

À cette époque, Charles vit encore chez ses parents. Il est sans travail, donc sans le sou. Ruth rentre à Washington, où il ne tarde pas à la rejoindre. Il quitte le Havre, avec sa future belle-soeur, à bord du «Hanséatique», qui arrive dans le port de New York dans un brouillard violet illuminant les gratte-ciel. Charles est ravi. Il a obtenu une petite bourse pour aller étudier à Tanglewood (où, depuis 1981, il dirige chaque été l'Orchestre symphonique de Boston et où il va inaugurer la saison, vingt-sept ans plus tard, avec ce même orchestre). «Je suis allé à Washington, et nous nous sommes mariés d'une façon absolument, incroyablement peu poétique. Je n'aurais jamais cru cela possible.» Charles et Ruth se rendent en effet à Arlington, en Virginie, dans un endroit où l'on peut sans aucun problème obtenir un permis de conduire, un permis de pêche, un permis de chasse ou un permis de mariage. Il suffit de signer un papier et, en vingt-cinq minutes, l'affaire est réglée. Pour un artiste très romantique de vingt-trois ans, tout cela manque singulièrement de poésie.

Le soir du même jour, Charles prend la route pour Tanglewood avec un ami qui est attendu à Boston. «Nous avons roulé toute la nuit et, arrivé à Boston, j'ai pris l'autobus pour Tanglewood où j'allais passer l'été. C'est là que j'ai rencontré pour la première fois Charles Munch, qui était à l'époque chef de l'Orchestre symphonique de Boston, et Pierre Monteux.» C'est à Tanglewood encore que Dutoit va rencontrer Jacques Hétu, jeune compositeur canadien-français en stage dans cette ville. Ils décident de partir à Niagara «sur le pouce». «Nous sommes allés voir les chutes. C'était vraiment très impressionnant. Ensuite nous avons repris la route et sommes arrivés à Toronto un dimanche. Quelle horreur!

Tout était fermé. Impossible de trouver à manger. La ville était complètement déserte, il n'y avait personne dans les rues. C'était assez pénible, en 1959, d'arriver dans cette ville un dimanche.»

L'été terminé, Charles rentre à Washington pour repartir ensuite en Floride avec sa belle-soeur. Il vient d'être confronté à nouveau au mode de vie étrange de Ruth. «On m'a emmené dans une cérémonie Subud. Les gens étaient réunis dans une salle. Ils se concentraient et, tout à coup, il y en avait un qui se mettait à divaguer et à pousser des cris déchirants, comme s'il était sur le point d'être dévoré par un démon. J'étais loin de la Suisse!» Ils traversent ensuite les Appalaches pour rejoindre Jacksonville où Charles va retrouver sa femme, qui est enceinte. De là, ils partent pour Key West, puis Ruth, sur le point d'accoucher, rentre à Washington le 15 septembre 1959, le jour où la Maison-Blanche reçoit Nikita Khrouchtchev, qui rend visite au président américain. C'est la première fois qu'un chef soviétique vient aux États-Unis pour une rencontre officielle. «Il est aisé d'imaginer dans quel état se trouvait la ville ce jour-là. Je faisais des allers retours entre le George Washington Hospital et la Maison-Blanche. J'essayais de savoir qui, de mon fils ou de Khrouchtchev, allait arriver le premier. On pensera que j'en parle avec beaucoup de détachement. Mais j'étais très jeune et je n'étais pas mûr pour assumer ce type de responsabilité. Je crois même que, parmi les gens de mon âge, j'avais un peu de retard dans ce domaine.»

Charles rentre seul en Suisse pour y remplir quelques petits engagements. Le voyage se fait à bord du premier Boeing 707 de la Pan Am, à l'époque où les réacteurs rougissent au moment du décollage. Puis il revient à Washington pour fêter Noël avec sa femme et son fils Ivan. Dans l'avion qui le ramène auprès de sa famille, Dutoit est assis par hasard à côté du compositeur français Henri Dutilleux qui avait été entendre sa *Deuxième Symphonie*, dite «Le Double», d'abord à Boston où elle avait été créée, puis à New York, et qui se rendait à Washington où elle allait être dirigée par Charles Munch. «Je dois dire que cela m'a coûté de lui adresser la parole. Il était extrêmement réservé, extrêmement poli mais très *self-protective*.» Que Charles, vingt-six ans plus tard, ait obtenu pour Montréal et son Orchestre la création nord-américaine du *Concerto pour violon et orchestre* de ce même Dutilleux, avec le violoniste Isaac Stern, n'est certes pas l'effet du hasard. Il semble que Dutoit se soit fixé des buts très définis, des défis d'où vont découler toutes ses actions. La boucle est bouclée, de la rencontre fortuite à la création du concerto. Il y a là une certaine logique que l'on retrouve à nouveau le 22 décembre 1959. Ce jour-là, Dutoit est au Constitution Hall pour y entendre *Le Double*. Vingt-sept ans plus tard, en présence du compositeur, il dirige à Boston, dans la salle de Munch, et à Carnegie Hall, à New York, sa dernière oeuvre. «Henri Dutilleux est une des personnalités les plus marquantes de la musique d'aujourd'hui. Toutes ses oeuvres, sans exception, sont importantes. J'ai dirigé *Métaboles* à l'Orchestre de Paris, à l'Orchestre de Philadelphie et à Carnegie Hall. Lors des répétitions à Paris, salle Pleyel, auxquelles il assistait, j'étais constamment émerveillé par la justesse de son oreille. Henri Dutilleux «entend» tout ce qu'il écrit; ce qui lui permet d'avoir une idée extrêmement précise de ce qu'il veut obtenir. Tous les compositeurs n'ont pas cette acuité. Si mon premier contact avec lui, il y a vingt-six ans, lors de ce vol via Washington, avait été froid et distant, ceux que nous avons eus ensuite ont été extrêmement satisfaisants à tout point de vue. Et lorsque nous avons créé son *Concerto pour violon* au printemps dernier, il a charmé tout le monde par son immense courtoisie.»

La rencontre avec Stravinski

Après les fêtes de Noël 1959, durant un séjour à New York, Charles voit dans un journal l'annonce de la création d'une oeuvre de Stravinski, *Mouvements*, pour piano et orchestre. Cette oeuvre est le résultat d'une commande passée au compositeur par le riche industriel suisse Weber, dont la femme Margrit est pianiste. C'est Stravinski lui-même qui va diriger l'orchestre le 10 janvier 1960 au Town Hall de New York.

Après avoir, pendant presque dix ans, dirigé, répété, vécu dans l'obsession de Stravinski, Dutoit va rencontrer celui qu'il appelle le plus grand compositeur du XXe siècle. On retrouve ici la même dynamique qui l'a fait passer de l'autre côté de l'écran pour rencontrer Roberto Benzi. «Je suis allé au Town Hall et je ne sais pas comment les choses se sont passées. Je sais qu'il était avec Robert Craft qui était un peu son secrétaire et son assistant, qui ne le quittait pas d'une semelle, portait sa serviette... Craft était lui aussi chef d'orchestre. C'était un homme très ambitieux mais je crois qu'il n'avait pas beaucoup de talent. Mais il était intelligent et cultivé.» Après le concert, Charles apprend que Stravinski va enregistrer les *Noces*, ce ballet pour quatre pianos, choeur et percussions. Afin de rendre hommage au compositeur, quatre pianistes américains, Samuel Barber, Aaron Copland, Lukas Foss et Roger Sessions, ont accepté de jouer. Il existe des photographies où l'on voit Charles tournant les pages de la partition de Foss, avec Stravinski au pupitre. Charles connaît Lukas Foss pour avoir travaillé avec lui l'été précédent à Tanglewood. «Voir Stravinski fut une expérience extraordinaire. Je suis resté plusieurs jours dans son entourage. Il avait une tête et une allure impressionnantes, bien qu'il fût tout petit. C'était surprenant, lorsqu'on voyait pour la première fois le plus grand compositeur du XXe siècle, de constater qu'il était de si petite taille. Il adorait parler le français et le faisait avec cet accent russe absolument irrésistible. Stravinski était un mélange de prince russe et de gentleman anglo-saxon. C'était un homme d'une grâce, d'une éducation, d'une courtoisie exquises.»

Depuis que Stravinski avait courtisé les techniques sérielles, Ansermet et lui s'étaient brouillés et ne se parlaient plus, après trente ans d'amitié. Dutoit, pendant ses années genevoises, avait vu Ansermet diriger les *Noces*, et il savait que le grand chef suisse en avait changé, non pas la rythmique, mais la mesure. Certaines mesures en 6/8 avaient été transformées en mesures en 3/4. «Ansermet m'avait exposé toute une théorie en m'affirmant que le 6/8 était une syncope du 3/4, enfin, une histoire qu'aujourd'hui encore je trouve un peu bizarre. Pourtant, quand j'ai vu Stravinski diriger les *Noces* à la manière d'Ansermet... j'étais sûr que le Vieux (c'est ainsi qu'on appelait Ansermet à Genève) avait réussi à le convaincre.» Quel choc pour Dutoit de parler à Stravinski, d'assister à un enregistrement historique, d'associer toutes ces images avec la figure patriarcale de Genève, de retrouver tout ce territoire mythologique qui le rattache à la Suisse et à l'histoire de la musique, et, plus tard, lors d'un séjour au pays, de retourner dans ce petit bistrot où le compositeur rencontrait Ramuz en 1918 et où l'écrivain refaisait le monde en discutant de l'*Histoire du soldat*. «Le paysage n'a pas beaucoup changé, la route s'est un peu élargie, mais il y a toujours cette vue plongeante sur les grands vignobles. Il y a là toute l'essence de l'*Histoire du soldat*. C'est une chose très proche de ma sensibilité, parce que tout le théâtre, le langage, la musique, cette sorte d'âpreté paysanne qu'on y retrouve, c'est un tout petit peu ma jeunesse.»

La bohème sérieuse

Après l'exaltation de cette dernière année, les suivantes apportent à Charles les fruits et les avantages d'une bohème sérieuse. De retour au pays, il s'installe avec sa femme et son fils chez ses parents. Il n'a toujours pas le sou et peu d'engagements. C'est généralement à ce moment-là que de nombreux musiciens choisissent de devenir des musiciens du dimanche. Mais Charles Dutoit s'en garde bien. Il travaille avec deux organismes. Le premier est l'Orchestre symphonique lausannois, ensemble formé d'amateurs dont le président, M. Mottaz, joue du basson. Cet homme délicat a l'élégance de demander à Charles de lui donner des leçons d'analyse de formes et de partitions afin de permettre au jeune artiste de gagner un peu d'argent. Ruth est arrivée dans la maison familiale et l'adaptation ne se fait pas sans heurts. Heureusement, le couple ne tarde pas à s'installer à Jouxtens où, pour une somme modique, il va occuper une maison très bohème, sorte de grosse maison de village un peu abandonnée, humide et sans confort. Le second organisme avec lequel Charles travaille est le Choeur de la Société Jean Sébastien Bach. Outre cela, à part quelques enregistrements pour les différentes radios suisses, il n'advient pas grand-chose dans sa vie du point de vue professionnel. «Je me retrouvais marié, père de famille, sans emploi, et il fallait que je réussisse à joindre les deux bouts. Ma vie à cette époque n'avait rien de comparable avec celle que je mène actuellement. J'avais alors six mois pour étudier une partition. Les années se traînaient; tout allait lentement. Aujourd'hui je n'ai plus le temps de les voir passer.»

Charles est maintenant prêt à diriger les *Noces*, à l'enregistrement desquelles il vient d'assister. Le 6 mai 1960, l'équipe Dutoit est prête. Basia Retchitzka, Lucienne Devallier, Éric Tappy et Étienne Bettens prêtent leur voix pour les deux parties du concert, car *Combattimento di Tancredi e Clorinda* de Monteverdi ouvre le programme. Roger Boss tient une des quatre parties de piano des *Noces*. Raymond Jacquier, qui fut le premier à introduire Charles à la musique de Stravinski, est aux percussions, ainsi que le compositeur Jean Balissat. Le fidèle ami, Georges-André Grin, est présent lui aussi; c'est lui qui a rédigé les notes et s'est occupé de tout comme à l'habitude. Boss évoque cette soirée: «À cette époque-là, Charles m'inquiétait. Il ne jurait que par Stravinski. Il ne possédait pas Stravinski, il était possédé par lui. Nous avons fait les *Noces* dans une atmosphère d'hystérie, de culte; je n'avais jamais entendu cela dans un concert. À Renens, c'était du délire, on a dû bisser.»

Le 3 novembre 1960, Charles monte à nouveau l'*Histoire du soldat*, mais le texte de Ramuz est joué cette fois par la troupe des Faux-nez de Lausanne, que dirige Jacques Apotheloz, directeur du Théâtre municipal, ce même théâtre où, en 1918, Ansermet créait l'oeuvre. La boucle est une fois de plus bouclée. Et, le soir, tout le monde se retrouve au *Chat noir*, le seul endroit de Lausanne où les artistes se réunissent. On y rencontre des comédiens de la radio, du théâtre, des musiciens, des poètes, des architectes, des écrivains, des peintres et des sculpteurs.

Charles joue dans plusieurs orchestres. «J'avais beaucoup d'amis musiciens qui se produisaient dans des orchestres de chambre. Nous jouions très souvent à la vallée de Joux — un de nos copains dirigeait là un orchestre d'amateurs — et avec l'Orchestre de chambre de Neuchâtel, qui était dirigé par une femme, chose extraordinaire dans la société réactionnaire suisse. Elle s'appelait Madame Bonnet Langenstein.» C'est l'époque des grandes amitiés. Roger Boss, directeur du conservatoire de Neuchâtel, va manifester un attachement inaltérable à Charles pendant huit ans. «Boss m'a beaucoup aidé dans ma formation intellectuelle. Il nous arrivait, chaque fin de semaine, de Neuchâtel, les bras chargés de nourriture, et nous cuisinions. Ensuite nous nous lancions dans des discussions interminables. Il était curieux, esthète, jouisseur; il était à la mode de l'après-guerre, un peu à gauche intellectuellement. Nous lisions chaque jour *L'Express* et *Le Monde*, nous parlions de la guerre d'Algérie, nous dévorions Camus, Sartre, de Beauvoir, nous étions au courant de tous les événements culturels et artistiques. Au cours d'un de ces week-ends, nous sommes allés voir la première grande rétrospective Picasso à la Tate Gallery de Londres. Londres était, à cette époque, une ville très polluée; le brouillard était si dense que l'on n'arrivait pas à lire le nom des rues. Les chauffeurs de taxi refusaient de se rendre dans certains endroits. Une de nos amies, Madeleine Santschi, venait de publier un livre, *Sonate*. Il y avait, dans ce village de trois cents habitants, un sculpteur et un peintre. Alors, avec elle qui écrivait, ce sculpteur, ce peintre et moi, musicien, cela donnait des rencontres très enrichissantes. On discutait, on blaguait, c'était une époque très stimulante. Boss cuisinait à l'ancienne. Il achetait un canard pour en exprimer le sang avec lequel il faisait une sauce, puis on jetait le canard! Il mettait vingt-quatre heures pour préparer des hors-d'oeuvre et ceux-ci étaient tellement nourrissants qu'on n'arrivait pas à terminer le repas!»

91

Berne ou les vrais débuts

Le 17 janvier 1961, un an après la rencontre avec Stravinski, Charles dirige *Les Tréteaux de Maître Pierre* et le *Concerto pour clavecin* de Manuel de Falla à la salle de spectacle de Renens. Mais il ne veut plus se contenter de donner des concerts de temps à autre et sait qu'il est prêt à diriger un grand orchestre. Il décide alors d'approcher l'Orchestre symphonique de Berne qui n'a pas de chef attitré depuis 1960. Il envoie une lettre, reproduite dans cet ouvrage, au pasteur Balsiger, président de la commission des programmes du B.O.V., pour lui proposer ses services. Ce n'est qu'une lettre parmi des dizaines d'autres, mais Dutoit est le plus jeune et le plus talentueux de tous les candidats. Le Konzertmeister de l'orchestre connaît un musicien de Lausanne qui lui a déclaré catégoriquement: «C'est un vrai chef, vous pouvez l'engager.» Balsiger se montre très intéressé et, s'il n'engage pas Charles comme chef attitré, lui propose deux ou trois programmes.

Le fonctionnement administratif de l'Orchestre symphonique de Berne a ceci de particulier que deux sociétés de concerts engagent l'orchestre: le Bernischer Orchester

Verein (B.O.V.) et la Bernischer Musik Gesellschaft (B.M.G.), ce qui provoque, on s'en doute, des tensions entre les deux sociétés. (Cette situation délicate deviendra d'ailleurs une des grandes hypothèques du futur règne de Charles.) Ainsi donc, M. Balsiger reçoit, en réponse à sa proposition, un coup de téléphone enthousiaste de Charles lui annonçant qu'il a choisi le *Concerto pour violon* d'Alban Berg, la *Sixième Symphonie* de Beethoven et, bien sûr, les *Quatre Impressions norvégiennes* et la *Circus Polka* de Stravinski. Charles lui explique qu'il connaît bien le concerto de Berg et qu'il a toujours rêvé de le diriger. Balsiger donne son accord et Charles commence immédiatement à le travailler avec le violoniste Hansheinz Schneeberger. Le temps de répétition est bien entendu destiné à cette oeuvre et il ne reste que très peu de temps pour le Beethoven. Mais tout se passe très bien.

C'est ainsi que, le 8 novembre 1962, Charles Dutoit dirige pour la première fois un orchestre symphonique, avec contrat et cachet. Il n'avait dirigé, jusque-là, que l'Orchestre de la Suisse romande, pour des programmes radiophoniques.

Le soir du concert, un des membres du conseil d'administration de la B.M.G., qui était hospitalisé mais avait entendu la retransmission de l'événement, s'écrie: «Ça c'est un chef!» Mais son enthousiasme ne s'arrête pas là, et il intervient ensuite afin que Charles soit engagé par la B.M.G., pourtant orientée par tradition vers les musiciens internationaux. Après un second concert avec le B.O.V., la société B.M.G. donne son accord à Charles pour un concert suicide. Ce dernier choisit évidemment *Le Sacre du printemps* de Stravinski. Il faut se reporter il y a vingt-cinq ans, lorsque cette partition choquait encore l'auditoire et que personne ne se risquait à la diriger. Qu'un jeune inconnu de vingt-sept ans, suisse et par sucroît vaudois ait l'audace et la témérité de s'attaquer à cette oeuvre sidère tout le monde. Mais c'est le triomphe. La *Gazette de Lausanne* déclare: «Charles Dutoit dirige *Le Sacre du printemps*. Il traduit ces pages inouïes avec une lucidité, une précision et un élan extraordinaires (...). Il a su imprimer un rythme presque cosmique à cette longue incantation dont l'intensité atteint parfois le délire. Enfin, il a souligné dans *Le Sacre*, au-delà du jeu fulgurant des masses sonores, le dessin sensible des lignes intermédiaires, conférant ainsi à l'oeuvre sa véritable dimension expressive et architecturale.» Tous les critiques se font l'écho de la *Gazette*. Pour un troisième concert officiel, on peut s'étonner d'un tel succès. Madeleine Santschi se souvient particulièrement bien de ces années de bohème impatiente pendant lesquelles Charles étudiait la partition du *Sacre*, oeuvre qu'il s'était promis de diriger avant trente ans.

C'est à ce moment-là que l'agent de Charles, Walter Schulthers*, décide de frapper un grand coup. Devant le succès et l'impact du fameux concert de Berne, il décide de parler à Karajan de ce jeune chef qui semble avoir tant de talent.

---

* Walter Schulthers avait épousé la grande violoniste hongroise Stefi Geyer, dont Bela Bartok avait été épris et pour laquelle il avait composé son *Concerto pour violon n⁰ 1*. L'oeuvre ne fut publiée qu'après la mort de de Stefi, en 1956.

Où *Le Sacre* fait des petits

Sur les recommandations de Schulthers et de son assistant Georges Payot, Karajan engage Dutoit pour la saison à venir. Karajan est, à l'époque, directeur de l'Opéra de Vienne. Il demande à Charles de se rendre immédiatement à Vienne pour diriger *Le Tricorne* de Manuel de Falla, dont la chorégraphie sera de Massine et les décors de Picasso. (L'oeuvre, créée par Massine à l'Alhambra de Londres, en 1919, sous la direction d'Ernest Ansermet, va être donnée dans le cadre des Wiener Festwochen.)

«Trois mois après *Le Sacre*, me voici dans la fosse d'orchestre de l'Opéra de Vienne. J'avais l'estomac terriblement noué avant la première répétition. Mais j'ai fermé les yeux, j'ai foncé et on a travaillé.» Le soir de la première arrive. «Ce qui m'a le plus impressionné, c'est lorsqu'on m'a fait entrer dans la fosse d'orchestre. Au moment où le chef entre, une petite lumière s'allume dans chaque loge; on a l'impression d'être sous un ciel étoilé. J'étais tellement crispé que je devais être rouge comme un homard à la fin du spectacle! Karajan était là, je le voyais et cela ajoutait à mon émotion.» Le spectacle est un succès et Charles reçoit les félicitations du maître.

Pendant les semaines de répétition, Charles se familiarise avec le milieu et le fonctionnement de l'opéra et du ballet. «J'ai rencontré Massine. C'était un homme peu loquace. Il vivait très modestement. Cette grande figure de la danse du XXe siècle sortait peu. On disait de lui qu'il était très avare, mais je n'ai jamais eu l'occasion de le constater. Néanmoins, faire un bon repas avec lui était presque impossible: il ne mangeait que des hot-dogs!»

Le contact avec Karajan sera la clé de voûte du séjour viennois. Chaque soir, à l'Opéra, dans la loge réservée aux artistes au-dessus de la fosse, Charles le regarde diriger. «J'étais à toutes les répétitions, auxquelles j'assistais religieusement, partition en main.» Charles assiste aux représentations d'*Aïda* (une jeune cantatrice, Leontyne Price, y fait ses débuts), de *Rigoletto*, de *Falstaff*, de *La Femme sans ombre*, de *Parsifal*, des opéras de Mozart, bref de tout le répertoire. Mais c'est une manie à Vienne que de cabaler contre le directeur artistique et de se quereller au point de provoquer une rupture fracassante. Mahler en 1910 et Maazel en 1984 respectèrent cette coutume et Karajan, en 1964, va s'inscrire lui aussi dans cette tradition et partir en claquant la porte. Charles continue à avoir un succès tout à fait appréciable, mais Karajan n'est plus là. Son successeur, Hilbert, lui demande alors une liste des opéras à son répertoire et lui propose un contrat de deux ans avec une cinquantaine de représentations par année. Mais Dutoit n'a jamais dirigé d'opéra: la Suisse romande n'a pas, comme la Suisse allemande, de tradition voulant que la formation d'un chef d'orchestre commence par un engagement de répétiteur puis de corépétiteur avant de devenir troisième Kappelmeister, de diriger une ou deux opérettes, jusqu'à l'accession, après des années, au poste de General Musik Direktor dans une petite ville. Karajan avait été General Musik Direktor à Aix-la-Chapelle et avait dirigé tout le répertoire d'opéra. «Il n'est pas devenu le grand chef qu'il était du jour au lendemain. C'est-à-dire qu'il a appris son métier. En ce qui me concerne, le senti-

GRANDE SALLE DE SPECTACLES - RENENS
(TRAM N° 9)

MARDI 10 JUIN 1958
A 20 H. 45

CONCERT

ORGANISÉ ET PRÉSENTÉ PAR

L'ORCHESTRE DE RENENS
RENFORCÉ

DIRECTION:
CHARLES DUTOIT

SOLISTE:
MARIE-ROSE GUIET
ALTISTE
1ER PRIX DU CONSERVATOIRE DE PARIS

EN SECONDE PARTIE:

L'HISTOIRE DU SOLDAT

MUSIQUE D'IGOR STRAWINSKY
INTERPRÉTÉE PAR UN ENSEMBLE DE MUSICIENS PROFESSIONNELS DE GENÈVE

PRIX DES PLACES: 2.40 ET 3.60 (TAXE ET PROGRAMME COMPRIS). LOCATION A L'ENTRÉE

IMP. A. SCHNEIDER RENENS

En 1958, Charles Dutoit dirige l'*Histoire du soldat* à Renens.

INVITATION
Ce programme donne droit à une entrée

TEMPLE DE RENENS-VILLAGE

DIMANCHE 7 DÉCEMBRE 1952, A 20 H.15

CONCERT
MOZART - SCHUBERT

par

L'ORCHESTRE DE RENENS
Direction: Otto AEBI

Soliste:
André Jeanmairet
Flûtiste

PROGRAMME

1. W.-A. Mozart
(1756-1791)

IDOMÉNÉE, ouverture.
CONCERTO en ré majeur K. 314
pour flûte et orchestre.
a) Allegro aperto
b) Andante ma non troppo
c) Allegro
Soliste: M. André Jeanmairet
SÉRÉNADE «EINE KLEINE NACHTMUSIK»
en sol majeur, K. 525
a) Allegro
b) Romance, Andante
c) Minuetto, Allegretto
d) Rondo, Allegro
Direction: Charly Dutoit.

2. Fr. Schubert
(1797-1828)

ROSAMUNDE
a) Entracte No 2
b) Musique de ballet No 2 (reprise)
SYMPHONIE N° 5 en si bémol maj.
a) Allegro
b) Andante con moto
c) Minuetto, Allegro molto
d) Finale, Allegro vivace

Entrée: Fr. 2.40 et 3.60

RENENS

Impr. A. Schneider - Renens

Le programme du concert de l'Orchestre de Renens où l'on voit apparaître pour la première fois le nom de Charly Dutoit.

N. réf.   234/285   Lausanne, le 23 mars 1959

A T T E S T A T I O N
=========================

Monsieur Charles DUTOIT, chef d'orchestre, a été engagé par
Radio-Lausanne pour l'enregistrement d'un concert qui comprenait
les oeuvres suivantes :

Josef HAYDN :   Symphonie No. 6 en ré majeur "Le Matin"
Maurice RAVEL :   Concerto en sol pour piano et orchestre
Jean BALISSAT :   Ballade pour orchestre.

Ces enregistrements ont été effectués les 9 et 19 janvier 1959,
avec la collaboration de Mlle. Martha ARGERICH, pianiste.

Il me plaît de relever ici que Charles Dutoit possède un véritable tempérament de chef d'orchestre et un solide métier, en dépit
de sa grande jeunesse. Il sait organiser son travail, sa direction
est claire, et surtout, il a le don de communiquer son enthousiasme aux musiciens qu'il conduit.

D'autre part, il se présente au pupitre fort d'une préparation
minutieuse des partitions qu'il doit exécuter.

A tous les organisateurs de concerts et chefs de services musicaux de Studios qui désirent donner une chance à un jeune chef
de talent, je ne puis que recommander l'engagement de Monsieur
Charles Dutoit.

                         R A D I O - L A U S A N N E
                         Le Chef du Service Musical:

                         Julien-François Zbinden

Le premier contrat, en 1959, à Radio-Lausanne.

Salle de Spectacles - RENENS
(Tram 9)

Vendredi 6 mai 1960, à 20 h. 30
———

La Société de l'ORCHESTRE DE RENENS,
sous le patronage de la Société de Développement,

Basia RETCHITZKA
soprano

Lucienne DEVALLIER
alto

Eric TAPPY
ténor

Etienne BETTENS
basse

LE PETIT CHOEUR FALLER
Un ensemble instrumental professionnel

Direction :

CHARLES DUTOIT

dans

LES NOCES

Scènes chorégraphiques russes en quatre parties (texte français de C.-F. RAMUZ)

Musique d'Igor STRAWINSKY
———

En première partie du concert :

" Il combatimento di Tancredi ", de Monteverdi

Cantate 189, de J.-S. Bach

....

Places à Fr. 3.- et 4.50 — Location à l'entrée (Enfants, étudiants, J. M. : **Fr. 2.40**)

IMPRIMERIE A. SCHNEIDER — RENENS

Charles monte les *Noces* à Renens en 1960. Le succès est tel qu'il a fallu bisser.

Lausanne,le 21 juin 1961

Monsieur le pasteur M.U. Balsiger
<u>Wengi</u> bei Büren

Cher Monsieur,

      Je dois à l'obligeance de M. Walter Huwiler
de connaître votre adresse.En effet,celui-ci m'a parlé,lors
de son dernier passage à Lausanne,des possibilités offertes
aux chefs d'orchestre suisses à la tête de votre orchestre.

      Je me permets donc de vous faire parvenir ci
joint ce prospectus en espérant que vous voudrez bien y prêter
quelque attention,et qui vous donnera quelques renseignements
sur mon activité musicale.

      Il est déjà bien tard dans la saison,et je sup-
pose que tout le programme de l'année prochaine est fixé définitivement depuis longtemps déjà.Aussi est-ce pour la saison
62-63 ,que je voudrais poser ma candidature à la direction de
l'un de vos concerts,en restant toutefois à votre disposition
avec le plus grand plaisir au cas où,pour une raison ou une
autre,vous viendriez à avoir besoin d'un chef pour un concert
de la saison prochaine.

      Je vous remercie d'ores et déjà de l'attention
que vous pourriez prêter à ces quelques lignes,et dans l'espoir d'avoir bientôt l'occasion et l'immense plaisir de col-
laborer avec vous,je vous prie d'agréer,Cher Monsieur,l'expression de mes plus respectueuses salutetions.

Charles Dutoit

<u>Nouvelle adresse:</u> 133 route de Berne,<u>Lausanne</u> (021) 32.16.22.

En 1961, Charles offre ses services à la direction de l'Orchestre symphonique de Berne.

Charles à Sienne pour le cours de direction d'orchestre d'Alceo Galliera. À l'extrême droite, Ruth Curry.

Les débuts à Berne en 1961, dans la salle du Casino, avec l'Orchestre symphonique de Berne.

Geneva, 8th January 1963

I know Mr. Charles Dutoit as
a promishing young conductor who
has conducted namely several very
satisfying performances of difficult
modern scores in my conudry and
with my own orchestra. He is
worth, I think, to be presented
in the competition organized in
New York by the New York Philharmony

Ernest Ansermet

Ansermet recommande Dutoit auprès des organisateurs du concours Mitropoulos à New York, en 1963.

À l'Opéra de Vienne en 1964, avec Noureev et Margot Fonteyn.

L'enregistrement des *Noces* pour Erato en septembre 1972. Charles s'assure que les pianistes sont bien prêts.

Pendant l'enregistrement des *Noces*, avec le compagnon d'adolescence et de conservatoire: Éric Tappy.

ment de maîtriser presque très bien un certain nombre d'oeuvres ne m'est venu qu'il y a quelques années seulement. Pour en revenir à Vienne, je me trouvais dans une situation bizarre lorsque Hilbert m'a proposé de diriger des opéras. Il m'était difficile de ne pas lui dire que l'opéra ne m'était pas familier mais c'était, d'autre part, une offre que je pouvais difficilement refuser.» Quelques jours plus tard, Charles reçoit un télégramme lui annonçant qu'il est invité à diriger, trois ou quatre semaines plus tard, *L'Enlèvement au sérail* de Mozart. «J'ai répondu que je regrettais mais que je n'avais pas assez d'expérience.» Charles est néanmoins engagé pour les deux ans à venir comme chef des ballets dont il dirigera presque toutes les représentations.

En automne 1964, Charles Dutoit commence à travailler avec Noureev et Margot Fonteyn dans une production du *Lac des cygnes* de Tchaïkovski. À peine arrivé à Vienne, le grand danseur y provoquait éclats et scandales. Il était un peu comme la Callas et passait d'un scandale à l'autre comme si sa vie en dépendait. On demande à Charles d'arriver le plus vite possible à Vienne. Sa présence est souhaitée par le chorégraphe et tout le monde craint que ce dernier ne quitte la ville sur un coup de tête si son désir n'est pas exaucé. Par ailleurs, il semble y avoir de grands problèmes avec la partition, qu'il veut modifier. Comme tous les chorégraphes de son école, il travaille de mémoire. De plus, il faut préciser que c'est la première chorégraphie qu'il dirige depuis qu'il s'est échappé d'Union soviétique. Il essaie donc de se souvenir de la chorégraphie du théâtre Kirov, afin de rester dans la tradition, mais il veut en même temps y faire quelques ajouts personnels. Noureev est particulièrement égocentrique, ce qui provoque des scandales épouvantables lorsque les choses ne se déroulent pas ainsi qu'il l'a souhaité. «Il a fallu que je le rencontre dès mon arrivée, raconte Charles Dutoit. Cela n'a pas été facile, mais nous nous sommes plutôt bien entendus. Il ne pouvait pas lire la musique et essayait de chantonner les notes. Impossible de savoir de quoi il s'agissait. Ensuite, il passait à la description d'une autre pièce qui, elle, «était un peu comme ça», et personne ne savait de quoi il voulait parler. C'était incroyable!»

L'Opéra de Vienne est sens dessus dessous mais les Viennois adorent les scandales... La méthode de Noureev est un peu simpliste. Lorsqu'il veut enseigner un pas au corps de ballet, il demande au pianiste de jouer plus lentement. Alors il essaie de se remémorer le pas en question et se met en mouvement. Soudain, il a un moment d'inspiration et on note la chorégraphie. Malheureusement, lorsqu'on revient au tempo normal, on constate que ce qui a été fixé est beaucoup trop compliqué. «J'ai vécu à cette époque, nous dit Charles Dutoit, de grandes souffrances musicales, à cause de cet être pour qui la musique n'était qu'un outil. Il se moquait éperdument de Tchaïkovski. J'ai compris très vite les limites lamentables du métier de chef d'orchestre de ballet.»

Charles va souvent manger, dans la forêt viennoise, avec le chorégraphe et Margot Fonteyn. Ils dégustent d'énormes chateaubriands arrosés de whisky. Noureev boit beaucoup, puis il rentre, se repose une demi-heure, va à la barre, s'échauffe et est prêt à travailler à nouveau. «Il me serait difficile de décrire cette relation car je ne sais pas très bien ce que je représentais pour lui. Un esclave, sans doute, ni plus ni moins. J'avais, en revanche, un profond respect pour Margot Fonteyn, personnalité attachante, femme d'une vaste culture et d'une excellente éducation.» C'est effectivement elle qui apporte un peu de civilisation dans cette entreprise où le niveau de nervosité devient de plus en plus intolérable au fil des répétitions.

Musique et danse: harmonie ou heurts

Tout Vienne attend avec impatience la première du *Lac des cygnes*. Noureev étant un des personnages les plus connus des années 60, plusieurs centaines de journalistes se bousculent à la répétition générale. «Les délégués de l'orchestre m'avaient donné l'ordre formel de n'interrompre la représentation sous aucun prétexte. Une générale est comme un spectacle, si une erreur a été commise, il faut sauver la situation et enchaîner. Et ce qui devait arriver arriva. Il y a, dans *Le Lac des cygnes*, une variation très connue où l'héroïne doit faire trente-deux fouettés avant de traverser la scène en diagonale. Pour une raison ou pour une autre, Margot Fonteyn ne réussit pas cette séquence et arriva face au public avant d'avoir terminé.» C'est alors que la voix de Noureev se fait entendre du fond de la salle. «STOP!», crie-t-il. Charles, à qui on a bien recommandé de ne pas s'arrêter, poursuit comme si de rien n'était. De nouveaux hurlements se font entendre: «STOP! STOP!» Charles continue à diriger, imperturbable, jusqu'à ce que Noureev fasse irruption dans la fosse d'orchestre et arrête le spectacle. «J'ai essayé de lui

101

expliquer calmement que je n'avais pas le droit de m'arrêter. Je n'allais tout de même pas me battre avec lui! Alors, il s'est retourné vers le public et a commencé à faire des commentaires très désagréables.» C'est le scandale. On arrête la répétition, on ferme le rideau. Le directeur arrive en courant. Des négociations entre Dutoit et Noureev s'engagent. Les journalistes se demandent qui est ce petit chef d'orchestre qui se permet de tenir tête au grand Noureev. Puis la générale reprend. L'orchestre n'ayant accepté aucun compromis après quarante minutes de discussion, on reprend la répétition là où on s'était arrêté, c'est-à-dire qu'on enchaîne après la fameuse variation plutôt que de la recommencer. «Deux jours plus tard, c'est-à-dire le soir de la première, nous avons dû nous arrêter encore une fois. Je n'avais jamais vu une chose pareille. Pour son entrée, Noureev a soudainement bondi sur scène, surgissant comme un diable, avec sa tête de félin et ses yeux de Tartare. La salle l'a ovationné pendant cinq minutes et j'ai dû arrêter l'orchestre.»

Charles dirige une quarantaine de représentations du *Lac des cygnes* et, au cours des deux années qui suivent, travaille avec le chorégraphe Milos, un hongrois qui est à cette époque directeur du Ballet de Vienne. Grâce à lui, Charles rencontre Giorgio de Chirico, venu réaliser un décor. Parmi les ballets présentés, on retrouve le *Boléro* de Ravel, *Petrouchka* de Stravinski et un ballet intitulé *Les Jambes savantes* sur la musique du *Concerto pour violon* de Stravinski. Mais la rencontre importante reste celle de Georges Balanchine qui viendra monter *Les Quatre Tempéraments* de Hindemith. «Il se tenait derrière moi, regardait les danseurs, écoutait et lisait la partition, puis il me disait: «Ne les suivez pas.» Car un danseur, lorsqu'il est en pleine forme, trouve toujours le tempo trop lent, alors que le lendemain, il le trouve trop rapide, sous prétexte qu'il a mal dormi. Avec Balanchine, c'était impeccable. La musique avant tout. Il n'autorisait jamais un danseur à donner son avis sur un tempo. Ce monde de Balanchine et de Fonteyn n'avait rien à voir avec le monde génialement doué mais très primitif de Noureev. Une des dernières productions auxquelles Charles participe est *Déserts* d'Edgar Varèse qu'il reprendra d'ailleurs la même année à l'Orchestre symphonique de Berne. Car pendant ces années viennoises, Charles continue à enregistrer des programmes à Radio-Zurich.

Entre-temps, l'Orchestre de Berne s'est attaché Paul Klecki, chef polonais naturalisé suisse qui va jouer un rôle important dans la carrière de Dutoit. Klecki entre en fonction en septembre 1964. Chef de renommée internationale, il a la réputation d'être difficile. Comme le nouveau chef permanent ne doit diriger que six ou huit concerts, il y a donc place pour un second chef. Charles a déjà dirigé l'Orchestre symphonique de Berne plusieurs fois depuis le *Sacre* et il s'y est fait des alliés. Ceux-ci proposent à Klecki de l'engager. Manuel Roth, l'agent de Klecki, répond à celui-ci, lorsqu'il lui demande son avis sur Dutoit: «Je le connais, il est vaudois!», ce qui a probablement une connotation extrêmement négative car il ne bouge pas. Cependant, quelques mois plus tard, il va assister à une répétition de la *Quatrième Symphonie* et de *La Messe en do majeur* de Beethoven dirigées par Charles à Lausanne, et cette prestation le convainc. L'affaire est réglée. Le partage des tâches se fait de la manière suivante: Klecki va diriger cinq concerts sur les dix pour la B.M.G. et deux des huit concerts pour le B.O.V. Quant à Charles, il aura cinq concerts pour le B.O.V. et deux pour la B.M.G. Deux ans plus tard, on demande à Klecki de prendre la succession d'Ansermet à la tête de l'Orchestre de la Suisse romande. Flatté, il accepte, sans réfléchir à cette proposition autant qu'il le faudrait. Il s'avère en effet qu'Ansermet, même après sa démission, va rester le patron de l'orchestre; son successeur, en conséquence, sera mal accepté par les musiciens.

Berne et Zurich: le double triomphe

Charles a non seulement un revenu fixe, un poste à lui, mais il devient le premier chef de l'Orchestre symphonique de Berne. De plus, l'Orchestre de la TonnHalle de Zurich, qui cherche un deuxième chef pour Rudolf Kempe, le chef titulaire, l'engage. C'est un double triomphe puisque les deux postes lui sont confiés en même temps. Les nominations entrent en vigueur le 1er septembre 1967. Le pasteur Balsiger, fidèle abonné de l'Orchestre symphonique de Berne depuis 1938, nous rappelle un événement qui a lieu le 21 janvier 1966 avec Charles au pupitre. Dutoit avait, comme nous l'avons vu plus haut, dirigé, à Vienne, la partition de *Déserts* de Varèse, pour bande magnétique et orchestre. Cette oeuvre ouvre le programme. Est-ce la disposition des haut-parleurs, le niveau sonore ou plus vraisemblablement l'impact de l'oeuvre? Toujours est-il que les gens se lèvent, quittent la salle ou manifestent leur désapprobation par des cris. Certains spectateurs prennent la scène d'assaut; l'un d'eux s'est précipité sur le podium et somme Charles d'expliquer publiquement pourquoi il a programmé cette horreur. Charles s'esquive mais est ravi. C'est *le* scandale. Le lendemain, une agence de presse envoie une dépêche reprise par la plupart des journaux suisses titrant: «La musique contemporaine n'adoucit pas tous les Bernois!»

Charles Dutoit assiste à toutes les auditions. «Les musiciens que nous choisissons seront là jusqu'en 2010», dit-il. Il est très conscient des conséquences des engagements et se montre très sévère. Il projette d'avoir deux quatuors égaux pour les bois de manière que ceux-ci, composés de personnalités différentes, puissent jouer chacun son tour selon l'oeuvre choisie. Malheureusement le projet n'aboutit pas. Curieusement, Charles Dutoit ne s'adresse jamais aux musiciens en allemand à cette époque, pas plus que dans les réunions, au point que tout le monde en arrive à la conclusion que cette langue lui est étrangère. Jusqu'au jour où l'on se rend compte qu'il la maîtrise parfaitement. Lors de son long séjour à Berne, cinq membres de l'orchestre décident de former «la Confrérie des Bouffémont», à laquelle Charles va appartenir. On y trouve le hautboïste Pierre Rosso, le clarinettiste Thomas Friedli, le trombone Branimir Slokar, le trompettiste Vanka Sananikoff et le percussionniste Roland Manigley. Aux réunions de la Confrérie, on parle de bonne bouffe, naturellement, mais aussi de musique. Charles aime avoir ses amis autour de lui; la présence de ses confrères le stimule. Son père, que tout le monde à cette époque appelle «le grand-père», est un élément très stable dans son existence. Il va sillonner l'Europe et la Suisse avec Charles. Le vieil homme ne manque pas de vivacité. Un jour, à Paris, Edmond dit à sa fille Mireille: «Tu sais, ton frère est vraiment dans la lune. On arrive à Vallorbes, on passe la douane, et je lui pose une question. Pas de réponse. J'attends. J'attends si longtemps que je finis par me résigner. Et alors que j'ai complètement désespéré d'avoir même un semblant de réponse, il me la donne si soudainement que je fais un bond sur ma banquette. On était à Dijon!» Edmond a une grande fraîcheur d'âme. Dans le wagon-restaurant d'un train qui le ramène de Fribourg avec Roland Manigley, il s'inquiète de la qualité du café qu'on y sert. Son compagnon lui déclare que celui-ci est imbuvable. Et le grand-père de rétorquer, l'oeil amusé: «Vous savez ce qu'on va faire? On va en demander deux fois et on va le boire en faisant semblant de le trouver délicieux. Ça va étonner tout le monde!»

Charles Dutoit sait ce qu'il doit à ce père qui fut toujours pour lui un exemple de probité et de courage. Quelque quinze ans plus tard, c'est par un télégramme de sa soeur Mireille que Charles apprend la mort d'Edmond. Il est à Londres pour l'enregistrement d'un disque et il ressent plus que jamais, ce jour-là, les exigences terribles de cette profession qui vous obligent à lutter contre vos émotions et à faire bonne figure, quoi qu'il arrive. Les heures qui vont suivre seront pénibles; il peut difficilement détacher sa pensée de celui qui fut un père généreux, drôle, sensible, de cet homme qui l'avait toujours encouragé à trouver sa propre voie. La profession de musicien cependant, dans les années 50, n'était pas considérée comme une occupation bien sérieuse; elle n'apportait ni statut social ni sécurité. Mais la générosité d'Edmond était si grande qu'il n'avait tenu aucun compte de ces préjugés et avait fait tout ce qui était en son pouvoir pour aider son fils.

Edmond avait, en quelque sorte, trouvé sa récompense en suivant Charles au cours de ses tournées, où il apportait à tous son humour et sa gaieté. Puis le vieil homme avait été atteint de cette terrible maladie qui devait l'emporter quatre ans plus tard. Sa mort, pour Charles, fut une tragédie, comme elle le fut pour Annie, sa petite-fille. Il était mort le jour de l'anniversaire de ses quatre-vingt-six ans, ce qui avait rendu cette mort encore plus absurde. Charles, aussitôt les sessions d'enregistrement terminées, avait sauté dans l'avion et était rentré à Genève pour mettre en terre ce père à qui il avait été si profondément attaché. Puis il avait repris l'avion dans l'après-midi même pour se rendre aux États-Unis.

La Confrérie des Bouffémont, à chacune de ses réunions, parle musique, bien entendu, et surtout de technique musicale. Charles n'arrive pas à obtenir de

107

l'orchestre des *pianissimi* convenables. Le problème est mis à l'ordre du jour lors d'une rencontre et ne tarde pas à être réglé. On entendra, lors du concert suivant, les résultats de cette discussion dans la transition du deuxième au troisième mouvement de *Iberia* de Debussy. Mais le souvenir le plus marquant de cette époque est une exécution des *Noces* à Fribourg. Ce soir-là, la frénésie qui s'empare toujours de Charles lorsqu'il dirige une des oeuvres du grand maître russe dépasse les limites habituelles. À quelques pages de la fin, il plante sa baguette dans sa main gauche. Son émotion est si intense qu'il ne s'aperçoit de rien et continue à diriger avec la même fougue passionnée. Le sang se répand sur la partition, éclabousse les solistes, les auditeurs du premier rang; une des choristes s'évanouit! Mais l'interprétation est magistrale et c'est le délire. En 1960, à Renens, on avait bissé *Renard* et les *Noces* et trissé la quatrième partie des *Noces*; à Fribourg, ce soir-là, on ne manque pas de bisser le quatrième mouvement. Pendant que le public applaudit à tout rompre, Charles improvise un pansement de fortune. Mais le sang, en se coagulant, a collé ensemble les feuilles de la partition et il faut qu'il assure par coeur la direction de ce mouvement extrêmement complexe. Le lendemain, les journaux titrent: «Noces de sang», reprenant ainsi avec humour le titre de l'oeuvre célèbre de Lorca.

À la même époque, Fribourg sera le cadre d'un événement assez cocasse. Charles, un soir de concert, réalise qu'il a oublié son frac à Lausanne. On improvise un habit de circonstance. Roland Manigley lui prête la queue de pie, le violoniste le noeud papillon, un autre musicien le pantalon et une étrange paire de chaussures composée d'un soulier à bout rond et d'un autre à bout pointu! Le concert se déroule normalement, personne ne s'aperçoit de rien, et Charles rend ensuite à chacun ce qui lui appartient. Puis il quitte la ville pour se rendre à Paris. C'est là qu'en arrivant à l'hôtel, le lendemain, il trouve un télégramme: «Ne t'en fais pas. J'ai planqué l'argent. Signé «Le Serpent» (Alias Roland

Manigley)». Charles avait laissé le montant de son cachet dans la poche du frac d'emprunt!

Klecki est à Berne et Kempe à Zurich. Charles ne voit jamais ce dernier. Lorsque Charles est à Zurich, Kempe est à Londres. Mais ce dernier a une entière confiance en Dutoit. C'est d'ailleurs grâce à lui que Charles obtiendra, le 4 novembre 1966, son premier contrat à Londres avec le Royal Philharmonic Orchestra, dont Kempe est le chef attitré. Au programme, l'ouverture d'*Euryanthe* de Weber, *La Mer* de Debussy et deux concertos, le *Fa mineur* de Chopin et le *La majeur* de Liszt. Le pianiste Witold Malcuzinsky est un peu vexé, le lendemain, lorsque les critiques titrent: «Jeune talent et vieux maître».

Martha

Le calendrier de Dutoit est de plus en plus chargé. Il commence à diriger partout en Europe: Londres, Munich, Belgrade, Paris, Turin, Rome, Vienne... Pendant l'été, il part d'ordinaire en Amérique du Sud et ses contrats le mènent à Buenos Aires, Lima, Caracas, Mexico, Montevideo et São Paulo. La carrière du chef a sérieusement commencé son ascension. Malheureusement, celle-ci ne fait qu'accentuer les différences fondamentales qui existent entre Charles et sa femme. Un des conflits majeurs va se produire lorsque Ivan sera en âge d'entrer à l'école. Charles veut que son fils fréquente une institution classique où on va lui apprendre la discipline et le travail. Ruth, au contraire, veut envoyer son fils dans une école libre où l enfant pourra choisir ce qu'il veut faire. C'est ce conflit qui va mettre un point final à leur union.

C'est alors que Charles revoit une amie qui croise son chemin depuis des années, la soliste de son premier concert à la radio, Martha Argerich. Ils s'étaient déjà retrouvés chez un opulent homme d'affaires sud-américain, qui fumait des havanes, les pieds sur la table, en buvant des «Cuba Libre» dans un salon orné d'un Steinway blanc, puis, en 1963, à

111

New York quand Martha s'y trouvait dans l'espoir de prendre des leçons avec Horowitz et Charles pour s'y présenter au concours de direction d'orchestre Mitropoulos. Malgré sa bourse et les lettres de recommandation d'Ansermet, il ne gagnera pas ce concours, pas plus que Martha ne travaillera avec Horowitz. Mais ils vont, à l'occasion de ce séjour new-yorkais, se voir un peu partout, au hasard des concerts.

Tout se termine par un mariage à Montevideo, le 21 juillet 1969. «Martha est une sorte de phénomène, raconte Charles. Il n'y en a pas deux comme elle sur terre. C'est un être extrêmement difficile à comprendre car son comportement, vu de l'extérieur, semble complètement irrationnel. Par contre, si l'on observe les choses de l'intérieur, tout devient cohérent, en parfaite harmonie avec le personnage. Elle fait partie de cette catégorie de gens qui sont inclassables. Elle se cherche continuellement, vit dans un perpétuel malaise romantique; c'est une rêveuse dont l'univers coïncide avec celui des poètes allemands du début du XIXe siècle. Martha vit dans la grande nuit romantique, elle n'aime pas la réalité. Ces jeunes poètes romantiques allemands auraient pu être ses amis.»

Tous ceux qui ont rencontré Martha corroborent ces dires, parlent de cette façon qu'elle a d'inventer la réalité. Michel Béroff déclare qu'elle vit en dehors des normes sociales. «Cette constante poursuite d'un idéal, ajoute Charles, d'une certaine pureté est une chose prodigieuse mais très difficile à vivre. Pour les choses pratiques, on ne pouvait compter sur elle. Dès qu'une chose se stabilisait ou devenait évidente, cela ne l'intéressait plus. Une relation suivie avec une telle personne est quasiment impossible. Surtout pour un homme comme moi qui a besoin d'équilibre, de rigueur, de structures.» Charles essaye de simplifier leur vie quotidienne, il veut aider Martha dans sa carrière. «Je n'aurais jamais dû m'en mêler, toutes mes tentatives se sont soldées par un échec. Je n'ai fait que créer des dissensions et des problèmes.» L'univers de Martha, c'est d'être entourée d'une cour d'admirateurs, de discuter pendant des heures, de manger quand elle a faim et de se coucher le plus tard possible. «C'était la première fois, nous dit Jean Balissat, que Charles était troublé au point d'en oublier sa carrière, de s'oublier lui-même.» Lorsqu'on demande à Martha ce que cette relation lui a apporté, elle répond en plaisantant: «À ne plus avoir peur du dentiste, à utiliser des cartes de crédit et à porter des verres de contact.»

Les événements qui ont peut-être ébranlé le plus les deux artistes se déroulent à l'occasion de l'enregistrement à Londres du *Premier Concerto pour piano* de Tchaïkovski, qu'ils doivent faire ensemble. Les sessions d'enregistrement sont prévues pour la mi-décembre. Quelques semaines auparavant, après un concert à Berne, Charles doit rentrer précipitamment à Jouxtens car sa fille, Anne-Catherine, souffre d'une hernie et doit être hospitalisée. Sur la route du retour, à deux heures du matin, la Porsche S11S de Charles fait de l'aqua-planning et c'est l'accident. On le transporte en ambulance et, par pure coïncidence, il se retrouve dans la clinique où sa fille a été hospitalisée. Il apprend qu'il va être obligé de porter un corset pendant plusieurs mois. Mais il décide néanmoins de ne rien modifier à l'horaire des sessions d'enregistrement. Martha, elle, ne l'entend pas de cette manière. Elle a perdu la garde de son premier enfant et veut à tout prix se consacrer à l'éducation du deuxième. Elle a décidé de faire passer sa carrière au second plan. Cette détermination devient rapidement une source de conflits entre les deux époux.

Mais les problèmes n'en sont qu'à leurs débuts. Le 3 décembre, Charles dirige un concert à Berne qui se termine par la *Suite scythe* de Prokofiev. À la fin de l'exécution, il salue, fait un rappel, sort de scène, rejoint sa loge et s'y évanouit: il est victime d'une attaque de foehn, et le corset qu'il porte l'étouffe littéralement. Charles parle souvent de cette crise qui l'a terrassé à Berne. «Ce phénomène résulte d'une situation atmosphérique qui existe au nord des Alpes et qui est consécutive à un changement de pression des vents chauds qui arrivent d'Italie. Ce malaise physique est très connu des médecins et des criminologues, car le nombre de crimes augmente les jours de foehn. J'ai beaucoup souffert de cela. J'arrivais le matin complètement vidé. Je pouvais à peine me traîner. Je n'avais plus aucune autorité sur l'orchestre. Je n'arrivais pas à me concentrer. Les jours de foehn, mes concerts étaient une loterie. Ou ils étaient très bons, ou ils étaient très mauvais.»

En dépit de ces circonstances difficiles, Charles et Martha vont quand même enregistrer le *Concerto* de Tchaïkovski à Londres du 15 ou 18 décembre 1970.

Pendant la deuxième année de leur mariage, ils vivent dans une ferme rénovée, à Chavannes le Veyron, près de Lausanne. La maison, qui se divise en deux parties, a été reconstruite avec les matériaux d'origine. Dans ce grand espace, les modes de vie de Charles et de Martha, diurne pour le premier, nocturne pour la seconde, vont s'affronter. «Vivre avec une personne comme Martha est très difficile. Elle considère son entourage comme un miroir. Elle vous parle pour mieux se comprendre. Elle a besoin de la nuit. Comme elle n'aime pas définir les choses, elle préfère parler par sous-entendus, en vous racontant ses rêves. La vie quotidienne, la vie pratique ne l'intéressent qu'au second degré; le plein soleil n'éveille en elle aucun écho.»

Le couple survit jusqu'en décembre 1973, moment où Charles rencontre la violoniste Kyung-Wha Chung, dont Martha dira plus tard qu'elle est une des personnes que Charles a le plus aimées. De son mariage avec Martha, il restera une grande amitié où les différences deviendront complémentaires et les oppositions des points de vue individuels que chacun va respecter. Anne-Catherine, que l'on appelle Annie, reste avec sa mère. Charles, sauf à l'époque de Jouxtens lorsqu'il vivait avec Ruth, ne sera pas souvent sous le même toit que ses enfants. La relation qu'il a avec son fils est plutôt faite de camaraderie, comme s'il était son grand-frère.

Ils voyagent beaucoup ensemble. Ils se retrouvent à Majorque pour une première aventure. Ivan a sept ans. «Je l'ai emmené voir une corrida, ce qui était un peu fou. Il a été très impressionné. Ensuite nous sommes allés dans un *night-club*. Je voulais qu'il voie danser du flamenco.»

L'importance du voyage

Les voyages sont donc devenus le véhicule privilégié des rapports de Charles avec ses enfants. Ils vont au Maroc, en Amérique du Sud, en Égypte. Charles téléphone un jour à Ivan, qui se trouve à Shangri-La, l'école choisie par Ruth. Il est en Afrique du Sud, au Cap, depuis un mois. Le violon solo de l'orchestre qu'il dirige s'appelle Paganini; il n'aime pas répéter. Cela crée des tensions et, même si l'orchestre est très habile à lire la musique à vue, il ne fait pratiquement aucun progrès pendant les répétitions. Charles — qui, pendant ses temps libres, discute de l'apartheid avec tous ceux que le sujet intéresse — est mécontent du laisser-aller qui s'est installé parmi les musiciens. Il n'en peut plus et annule le reste de la saison. Il téléphone alors à Ivan, lui envoie un billet d'avion et l'invite à le rejoindre: «Tu viens au Cap, je te montre la ville. On passe dix jours ensemble, puis on part au Mozambique et on va faire un safari.» Ils se rendent à Durban puis au Zoulouland, assistent par hasard à un mariage zoulou, repartent pour Lourenço Marques (aujourd'hui Maputo) puis pour Beira. Personne ne veut leur louer de voiture pour sortir de la ville. Charles et Ivan finissent par dénicher un garage qui accepte de leur louer une vieille Volkswagen.

L'embrayage est dans un état lamentable mais il faut faire contre mauvaise fortune bon coeur. De toute façon, ils n'ont pas le choix. Le lendemain, départ pour Gorongosa, une des plus belles réserves d'animaux d'Afrique. «Après deux cents kilomètres, la voiture nous laisse tomber. C'était fini. Alors nous sommes restés au milieu de la piste à attendre. Deux heures plus tard, un camion rempli de religieuses portugaises est arrivé. Je leur ai raconté notre mésaventure, et elles nous ont ramenés à la mission. Là, nous avons rencontré un type qui possédait une grosse voiture américaine. Il était à moitié fou; il croyait aux soucoupes volantes, racontait des histoires abracadabrantes sur les extra-terrestres et avait souvent des visions. Mais il connaissait très bien les animaux, alors il nous a emmenés avec lui. Nous avons appris à observer les éléphants de près en approchant d'eux dans le sens contraire au vent. Il distinguait des hippopotames cachés dans la boue alors que nous ne voyions rien du tout. Il garait la voiture de telle sorte que nous puissions rentrer dedans et repartir au plus vite, puis il lançait des mottes de boue pour que les hippopotames se réveillent. Il fallait alors prendre ses jambes à son cou pour éviter leur charge. Nous avons fait avec lui des choses incroyables que nous n'aurions jamais faites si notre voiture n'était pas tombée en panne.»

La passion de Charles pour les voyages n'est pas d'hier. Une de ses aventures date de l'époque où il voyageait avec Roger Boss. C'était en automne et Charles avait décidé de faire, avec son ami, un voyage en Allemagne. Or, à cette époque, les relations diplomatiques n'existaient pas entre la Suisse et l'Allemagne de l'Est. Charles et Roger se retrouvent donc à la frontière entre l'Allemagne de l'Ouest et l'Allemagne de l'Est. Roger Boss raconte: «Vous savez comment il est. Nous arrivons à la douane et il demande un *Ausweis* pour aller à la foire de Leipzig. On nous donne un permis de séjour de vingt-quatre heures ainsi qu'un billet de logement, avec interdiction de quitter les autoroutes... Peu après, on arrive à Eisenach, ville natale de Bach. Charles ayant décidé de visiter la maison où il est né, il a bien fallu sortir de l'auto-route. Plus tard nous arrivons à Weimar, capitale culturelle du XIXᵉ siècle allemand, qui a vu naître Goethe et Schiller et où Liszt, qui dirigea longtemps à l'Opéra, créa bon nombre d'oeuvres de Wagner, *Samson et Dalila* de Saint-Saëns et plusieurs oeuvres de Berlioz. Obligés de loger dans cette ville, nous échouons dans une chambre immense dans un hôtel affreux! Le lendemain, nous partons pour Dresde, que Charles ne connaissait qu'à travers les peintures de Canaletto. Cette ville, qui avait été rasée par les bombardements pendant les derniers jours de la guerre, était en reconstruction. Les nouveaux quartiers, construits à la hâte, étaient affreux; le fameux SemperOper était en ruine. Seules les galeries du prodigieux musée étaient ouvertes. Et, bien sûr, nous nous précipitons pour aller voir cette fameuse *Madone Sixtine* qui avait eu une telle influence sur la jeune peinture romantique allemande. Finalement, nous arrivons à Leipzig six jours plus tard que la date prévue. Je voulais qu'on prévienne la police puisque nous étions en infraction, mais Charles a insisté pour que nous poursuivions notre route jusqu'à Potsdam, en passant par Wittenberg (la ville de Luther), quitte à avoir des embêtements. Arrivés dans cette ville, personne n'accepte de nous loger à cause de notre *Ausweis* périmé. À Berlin, tout s'est très bien passé, je n'en croyais pas mes yeux; il nous ont fouillés et nous ont laissés filer!»

Ivan et Annie

Ivan et Annie occupent une place immense dans la vie de Charles. Il est très proche de ce fils qui lui a toujours témoigné la plus grande confiance et ressent pour Annie, avec laquelle il a vécu pendant quatre ans (les quatre premières années de la vie de l'enfant), une tendresse toute particulière. Une des plus grandes frustrations de Charles Dutoit a été et est toujours de ne voir ses enfants que sporadiquement. Les voyages, heureusement, leur ont parfois permis d'être vraiment ensemble.

Ivan est né le 15 septembre 1959 à Washington. Dès les premières années, des dissensions importantes séparent Ruth et Charles en ce qui concerne l'éducation de leur fils. La jeune femme fait partie de la génération qui a lu le docteur Spock, et les préceptes du pédiatre la fascinent. Elle y croit dur comme fer. Charles, de son côté, est convaincu que ceux-ci ne peuvent produire que des êtres mal armés pour affronter l'existence. Il lutte donc contre sa femme afin de minimiser les effets d'une éducation qui lui semble déplorable. Jusqu'au divorce, où il perd son pouvoir de décision. Ruth choisit alors pour son fils un établissement qui se trouve dans le Jura suisse, l'école Shangri-La, où Ivan va passer plusieurs années. À seize ans, l'adolescent va connaître, lorsqu'il suit sa mère à Washington, une période de grand désarroi. Après avoir vécu dans une totale liberté, en pleine nature, entouré des mêmes camarades, la vie aux États-Unis lui paraît froide et dépersonnalisée. Son anglais, insuffisant, ne lui permet pas de dialoguer aisément avec ceux qui l'entourent. Il entre à l'école que dirige sa tante Liba, la soeur de sa mère, et, s'il y trouve l'affection dont il a besoin, il n'en a pas moins le mal du pays. Ivan, bien que né à Washington, s'y sent déraciné.

En février 1977, il appelle Charles au secours et s'ouvre à son père; il lui explique qu'il manque d'espace, et que cette vie, où il est presque exclusivement entouré de femmes, l'étouffe. Il a visiblement besoin d'un soutien masculin. Charles lui achète alors une petite voiture d'occasion, et ce simple changement dans l'existence d'Ivan lui apporte l'autonomie dont il a si grand besoin. L'été suivant, un de ses amis suisses vient le rejoindre et ils partent en voyage à travers les États-Unis. Au cours de leur séjour en Californie (Ivan ne rentrera même pas à Washington), il décide de s'inscrire au City College de Santa Barbara, où son père vient le voir avant de se rendre à Montréal, à l'invitation de Madeleine Panaccio.

À Santa Barbara, Ivan se retrouve, pour la première fois de sa vie, face à de vrais problèmes d'étudiant. Son anglais est très approximatif, mais il accomplit néanmoins, en quelques mois, un rattrapage spectaculaire. Pourtant, lorsque les examens arrivent — ce sont les premiers de sa vie — il est pris de panique et appelle une fois de plus son père à la rescousse. Charles, qui est à Londres, prend immédiatement l'avion et arrive à Santa Barbara pour s'entendre dire par Ivan qu'il ne se présentera pas aux examens.

Charles ne reste que trois jours pour préparer le premier de la série, qui doit avoir lieu le lundi. Il n'y a pas une minute à perdre; le père et le fils passent une fin de semaine studieuse à potasser l'examen d'histoire. Puis Charles reprend l'avion pour Londres.

Inutile de dire que l'examen est réussi, de même que ceux qui vont suivre. Ivan termine son collège en deux ans. Mais, s'il y est totalement intégré, il ne trouve pas, dans la vie quotidienne, le climat culturel dont il a besoin. Il a l'impression d'être entouré de valeurs artificielles, de principes un peu figés où la réussite passe avant tout.

Charles propose alors à Ivan de venir à Montréal, où celui-ci va trouver cette vie culturelle qui lui fait défaut. Le jeune homme s'inscrit en Sciences-po à McGill, apprend l'espagnol et, après avoir épousé une jeune québécoise, Sophie Boucher, termine son B.A. Puis il retourne en Californie et s'installe à Los Angeles, où il poursuit présentement ses études tout en écrivant des scénarios pour le cinéma.

Ivan et sa soeur Annie, la fille de Martha Argerich, sont très unis. Ils ont très tôt, bien que n'ayant jamais vécu ensemble, conçu une très grande affection l'un pour l'autre, et leurs rencontres ont toujours été des moments d'échange très profitables. Ils s'entendent très bien, se comprennent d'autant mieux qu'ils ont, en quelque sorte, partagé le même désir, celui de voir leur père plus souvent, de le garder avec eux plus longtemps. Ce fut peut-être plus difficile encore pour Annie, dont la mère avait elle aussi une vie extrêmement bousculée.

Il n'est pourtant jamais venu à l'idée des enfants, semble-t-il, de reprocher à leur père ses absences. Sans doute parce que cette question a été maintes et maintes fois discutée et parce qu'ils savent qu'ils sont et resteront *la* priorité de Charles. Cette certitude, une attention constante et l'habitude de discuter à fond des problèmes qui se posent et de les résoudre ensuite ont créé entre Charles et ses enfants une relation intense, où la confiance est mutuelle et totale.

Annie vient au monde le 4 octobre 1970 à Berne. Charles, qui depuis des mois espère être libre afin d'assister à la naissance de l'enfant, voit ses souhaits exaucés: il est présent quand sa petite fille vient au monde. Celle-ci va être très entourée pendant les quatre premières années de son existence, à l'issue desquelles Charles et Martha vont prendre la décision de se séparer. Une jeune fille au pair est engagée pour prendre soin d'Annie, et Edmond, son grand-père, est là qui lui apporte des trésors d'affection. Le vieil homme est fou de la petite fille et elle l'adore; ils sont très vite complices, partagent les mêmes rêves. La droiture d'Edmond donne à l'enfant un sens des valeurs très rare, une exigence qui va faire d'elle un être attentif à sa réalisation personnelle.Une fille très sensible aussi qui, après cinq ans, n'est pas encore remise de la mort de celui qui, pas à pas, a suivi son développement.

Annie, après la séparation de ses parents, passe deux années à Londres, au Lycée français, jusqu'à ce que sa mère décide, en 1977, de s'installer à Genève et d'inscrire sa fille à l'école normale. L'enfant va enfin pouvoir s'identifier à un vrai milieu, chose impossible dans une école internationale fréquentée par des élèves venus des quatre coins de la planète et, par surcroît, souvent très favorisés par la position sociale de leurs parents.

Annie, bien qu'ayant subi l'influence de Martha, mère extrêmement fantaisiste qui avait de la discipline une notion tout à fait personnelle, a hérité du sens de l'organisation de son père. C'est ainsi qu'elle décide de passer l'été 1985 au festival de Tanglewood pour y faire partie des choeurs. Elle adore la musique et y trouve l'occasion de parfaire son anglais. Elle vient, assez récemment, de prendre une décision importante. Alors qu'elle avait le choix entre les langues modernes et classiques, Annie, qui de toute façon a étudié le français, l'allemand, l'anglais et le latin, opte pour ces dernières, ce qui fait un immense plaisir à son père, fervent partisan de l'étude des humanités. Cette toute jeune fille, dont le portrait pourrait être fait au pastel, cache, sous son aspect romantique, presque évanescent, une volonté et une force de caractère peu communes. Cette discipline personnelle et cette force intérieure qu'elle a sans doute héritées de son père, consolidées par l'équilibre affectif qu'elle doit en grande partie à son grand-père, l'ont aidée à passer au travers de circonstances difficiles à assumer par un enfant: des parents que leur métier éloigne du foyer, leur séparation lorsqu'elle a quatre ans, la naissance, six mois après cette séparation, d'une deuxième petite soeur, fille de Stephen Bishop, deux années à Londres loin de son grand-père...

Enfant, ayant appris très tôt que son père est un monsieur très occupé, elle organise, lorsqu'elle le peut, leurs voyages. Il y a trois ans, elle demande à Charles de lui montrer son calendrier. Celui-ci s'exécute et elle découvre avec stupeur qu'il n'a pas un jour de liberté jusqu'au mois d'août 1986! Elle écrit alors sur la page blanche le mot VACANCES et tient ce discours à son père: «Tu auras à ce moment-là presque cinquante ans et moi presque seize. Il faut que nous passions ce mois d'août ensemble. Il faut que nous fêtions ces deux événements par un voyage spectaculaire.» La décision est prise: ils iront en Chine et au Tibet. Marie-Josée, qui entre-temps est devenue l'épouse de Charles, sera bien entendu du voyage.

Une carrière en crescendo

Charles a déjà enregistré un premier disque pour la Deutsche Grammophon Gesellschaft, mais il n'a aucun contrat à long terme avec une autre compagnie de disques prestigieuse. Au début des années 70, il rencontre Michel Garcin, de la firme française Erato. Des pourparlers s'engagent. Les deux hommes définissent un répertoire et, pour la première fois, grâce au disque, Charles connaît une diffusion internationale. Les oeuvres choisies sont de de Falla et de Stravinski, celles-là mêmes qu'il défend avec tant d'ardeur depuis bientôt quinze ans. Il enregistre également le *Roi David* d'Arthur Honegger, enregistrement qui remportera dès sa parution le Grand Prix spécial du 25e anniversaire de l'Académie du disque français. Pour l'enregistrement de l'*Histoire du soldat*, Charles a un très beau geste. Se rappelant qu'il a dirigé cette oeuvre à Renens pour l'obtention de son diplôme de chef d'orchestre, il engage, quinze ans plus tard, l'ensemble instrumental qu'il avait réuni à cette occasion. On retrouve, au cornet à pistons, Michel Cuvit, au trombone, Roland Schnorkk, à la contrebasse Joachim Gut et Pierre Métral à la percussion. Ce disque est, aujourd'hui encore, considéré par la critique comme un des meilleurs enregistrements de l'oeuvre; il gagne le Grand Prix du disque de l'Académie Charles-Cros. Dans le même esprit de loyauté, Charles engage deux des solistes de l'époque héroïque qui se retrouvent à l'enregistrement des *Noces*: la soprano Basia Retchitzka et le ténor Éric Tappy; quant à *Renard* et à *Ragtime*, ils réuniront les membres de la Confrérie des Bouffémont.

Le port d'attache reste Berne. Charles interrompt ses activités à la TonnHalle de Zurich en tant que deuxième chef. «C'est très rare qu'un orchestre entier soit enthousiaste de son chef, raconte le pasteur Balsiger, mais il avait fait l'unanimité. Charles, pour résoudre un problème qui avait surgi dans la section des premiers violons, avait fait jouer tous les pupitres deux par deux. Et les musiciens s'étaient montrés tout à fait coopérants.»

Charles voyage beaucoup. Son calendrier est de plus en plus chargé; il dirige beaucoup en Angleterre, surtout le Royal Philharmonic Orchestra, mais aussi en France, en Italie et en Allemagne. Il visite tous les pays de l'Est, séjourne dans leurs grandes villes: Varsovie, Prague, Budapest, Belgrade, Bucarest où il se fait de nombreux amis. C'est l'époque où la très traditionnelle B.M.G. lui reproche ses programmes trop centrés sur la musique du XXᵉ siècle.

Berne n'est pas prête à recevoir un orchestre de prestige. Dans les villes de Suisse allemande, opéras et opérettes sont très populaires et constituent la base du travail des musiciens. L'Opéra de Berne est petit et provincial. Le grand répertoire y est joué avec un orchestre réduit et sonne assez mal. Par contre, on y joue avec un grand succès des oeuvres inconnues ou oubliées. Charles, en janvier 1966, dirige *La Bohème* de Puccini, mais il préfère diriger des opéras en version de concert avec grand orchestre.

Un des plus grands moments du séjour à Berne reste sa production, version concert, de *Pelléas et Mélisande* de Debussy. Et la critique de dire: «Dutoit dirige toute la partition

sans jamais jouer, en allant jusqu'à la pointe du drame dis-
cret et terrible, avec une interprétation d'une grande justesse
d'accent et dégageant une atmosphère générale admirable
de poésie et de lyrisme secret.»

La route de Montréal: le Mexique et la Suède

Charles accepte le poste de directeur musical de l'Orchestre symphonique de Mexico, qu'il occupera de 1974 à 1976. «Nous sommes allés au Mexique, invités par un impresario du nom de Daniels. Il fait partie d'une famille d'impresarios, dont le premier est à Madrid, le deuxième à Buenos Aires, le troisième au Venezuela et le dernier au Mexique. Ils m'ont demandé si j'acceptais d'être directeur de l'Orchestre symphonique de Mexico pour deux saisons. Ça m'amusait de vivre au Mexique. J'en ai profité pour apprendre l'espagnol. J'ai essayé d'avoir des audiences chez des politiciens pour améliorer le sort des musiciens mais on me faisait toujours attendre. Un jour, exaspéré, je suis entré dans le bureau d'un ministre pour lui demander des explications. Je lui ai dit: «J'avais rendez-vous avec vous à dix heures et il est onze heures trente!» Il ne faisait rien, il me faisait simplement attendre pour le plaisir. Il est très difficile de travailler dans les pays latins. J'allais dans les bureaux, essayant d'organiser les saisons, préparant des contrats, m'occupant d'administration. C'était plutôt amusant au début mais c'est rapidement devenu monotone.»

131

Enfin, avant d'arriver à Montréal, Charles dirige à Göteborg, port de la Suède, ville des voitures Volvo. «Tout le monde trouvait un peu bizarre que je décide de prendre en main la destinée de cet orchestre pour un certain temps. Mais ce qui m'a attiré, c'est la qualité de la salle, une des meilleures d'Europe. Mais à part la salle et les séjours dans l'île de mon agent scandinave, je dois avouer que je n'ai pas beaucoup d'admiration pour ce pays tant au niveau artistique qu'au niveau politique. Cet État-roi, ce dirigisme continuel, cette intrusion de l'État dans la vie privée, je trouvais cela particulièrement exagéré. En outre, c'est une société qui sécrète l'ennui. Je ne m'y suis pas beaucoup plu.» Charles aime néanmoins beaucoup Stockholm, ville superbe, où il dirige souvent, ainsi qu'à Oslo, Bergen et Helsinski, pendant ces trois ans qu'il passe en Scandinavie. C'est de Copenhague, après un concert à Göteborg, qu'il va prendre l'avion pour Montréal.

En mai 1978, l'Orchestre symphonique de Berne sait que le contrat du chef qui a fait de cet orchestre un instrument souple et stylé se termine. L'Orchestre symphonique de Berne sait que Dutoit part pour Montréal. Dans le journal *Tribune-Le Matin* du 30 mai 1978, le critique Pierre Gorjat titre: «Charles Dutoit: c'est parti! Berne qui pleure, Montréal qui rit». Et Gorjat raconte le dernier concert du directeur artistique: «La semaine dernière à Berne, Charles Dutoit a dirigé ses derniers concerts comme chef attitré de l'Orchestre symphonique de Berne, faisant ses adieux avec ce bouleversant chef-d'oeuvre qu'est la *Neuvième Symphonie* de Mahler. Jeudi, ce fut une soirée impressionnante à tous les niveaux: l'interprétation fut d'un niveau saisissant, tant musicalement que techniquement.» Et le public bernois observa un silence et une attention qui font rêver le chroniqueur lausannois... «Dans l'*Adagissimo* du dernier mouvement, le chef d'orchestre resta comme projeté hors du temps, et, après un grand moment de poignant silence, l'ovation fut d'une chaleur extraordinaire. Berne sait ce qu'elle perd.»

132

Bruno Walter disait: «Si on a un poste dans une ville et si on s'aperçoit que l'on va diriger pour la troisième fois la *Cinquième Symphonie* de Beethoven, c'est le moment de partir!» Au moment de son départ de Berne, Charles a dirigé deux oeuvres trois fois. *Le Sacre du printemps* et le *Prélude à l'après-midi d'un faune*. Au bilan, 135 concerts, 500 oeuvres.

Montréal

Le portrait type du chef parfait: Charles Dutoit?

Dès 1968, John C. Goodwin s'engage à fond dans le domaine des arts. Le Théâtre de Quat'Sous, qui est sur le point de faire faillite, lui a demandé, à titre bénévole, de reconstruire ses bases financières, de constituer un conseil d'administration et de diriger ses opérations. Il va, par la suite, s'intéresser également aux droits d'auteur, des décorateurs et des créateurs de costumes.

Or, en 1973, l'Orchestre est en difficulté et on demande à cet organisateur expérimenté de voir au bon fonctionnement de son administration et de remplacer Denis Langelier, le directeur général, qui a décidé d'abandonner ses fonctions. Goodwin accepte et devient directeur général intérimaire. Mais il va quitter ce poste lui aussi pour faire un séjour en Europe et sera remplacé par Jacques Druelle.

On imagine aisément dans quel état se trouve l'Orchestre un certain 8 décembre 1973, quelques mois après le départ de son directeur. Parmi les recommandations faites par Goodwin avant de partir: le conseil de ne pas ouvrir la saison en septembre et de faire un grand battage autour des difficultés financières qu'éprouve l'Orchestre.

À son retour d'Europe, à peine descendu d'avion, Goodwin apprend qu'un grand événement se déroulera au Forum le 12 décembre, c'est-à-dire le jeudi suivant! Le Forum est loué, il ne reste plus qu'à organiser la soirée. Pierre Béique ayant pris en charge le côté classique en invitant, entre autres, John Vickers et Maureen Forrester, Goodwin décide de s'attaquer au côté «populaire»: «On était dans l'esprit des Olympiques, j'ai donc voulu intégrer les sports. Je voulais montrer qu'il existait, pour un orchestre symphonique important, des appuis diversifiés. Pauline Julien et Monique Leyrac ont participé à cette soirée. Yvon Deschamps a fait un monologue qui a reçu un accueil dithyrambique. Il nous apportait la crédibilité qui nous manquait, car l'Orchestre avait la réputation, à ce moment-là — réputation plus ou moins justifiée d'ailleurs —, d'être plus anglophone que francophone. Et puis on a réussi à faire venir Maurice Richard, qui n'avait pas mis les pieds au Forum depuis dix ans.»

C'est ainsi que l'Orchestre réunit de l'argent et obtient des subventions: Goodwin n'a pas démenti sa réputation d'organisateur. Finalement, après d'autres tergiversations, il redevient directeur général de l'OSM quand Decker termine son mandat et que de Burgos commence le sien. «On a tendance à escamoter le passage de de Burgos. Il n'est pas resté longtemps, il est vrai, mais plusieurs circonstances doivent être prises en considération. Je crois que l'Orchestre n'était pas prêt à le recevoir à son arrivée, alors que la machine administrative était en place quand Dutoit s'est joint à nous; il ne restait plus à ce dernier, appuyé sur cette bonne base, qu'à affiner. De Burgos, lui, avait hérité de résidus d'anciennes administrations, les meilleurs éléments étaient partis; il en restait quelques bons, mais on n'était pas sur un terrain solide. Il y avait aussi toute la question des conventions collectives à clarifier.» Lorsque de Burgos quitte Montréal, il reste huit concerts à organiser pour l'année 77, mais également tous les concerts de l'année suivante. Les invitations se font en général deux ou trois ans à l'avance. Il reste alors vingt-huit semaines à remplir. Goodwin se doit de remplacer le directeur artistique; il fait appel à Pierre Béique, mais celui-ci décide de rester en retrait pour la décision finale, puisque c'est lui qui avait recommandé de Burgos à l'époque. «Il fallait, au cours des huit semaines qui restaient pour la première année, trouver un chef. On voulait en profiter pour aller chercher des jeunes, des musiciens moins connus, des «futures étoiles». On a fait venir des chefs masculins et féminins. J'aurais trouvé intéressant de voir une femme occuper le poste de directrice artistique. Mais à ce moment-là il n'y avait aucun chef féminin disponible ou possédant les qualités nécessaires pour le remplir. Je m'étais fait un portrait type du directeur artistique dont on avait besoin. Les exigences essentielles à rencontrer, dans ce genre de recherche, se dessinent généralement à la lumière de l'expérience acquise grâce aux prédécesseurs. Il fallait trouver, chez le successeur, des qualités et des compétences pour combler les vides que j'avais identifiés. Cela n'a rien de péjoratif pour les prédécesseurs, mais les besoins de l'Orchestre étaient tels qu'il nous fallait quelqu'un qui soit apte à nous aider dans son développement. Nous devions trouver un directeur artistique qui puisse s'engager dans la communauté, quelqu'un qui soit une sorte de catalyseur pour toutes les autres sociétés musicales à Montréal. Quelqu'un qui sache communiquer avec ces autres organismes et qui aide par là même l'Orchestre à sortir d'un certain type de fonctionnement en vase clos. Il fallait établir un rapport harmonieux. Dans un second temps, il fallait que le futur directeur soit en mesure de communiquer avec la majorité de façon à se faire comprendre; la majorité de Montréal, c'est-à-dire francophone. Bien entendu, je ne parle pas ici de qualités purement professionnelles — il est bien évident qu'on allait engager quelqu'un d'un certain calibre, d'une certaine réputation —, je parle des autres qualités. Nous avions besoin d'un chef qui soit personnellement très ambitieux sans être arriviste, quelqu'un qui veuille avancer. Si le directeur artistique avançait, il ferait avancer l'Orchestre. Cela donne un peu la définition d'un superman: du talent, une certaine image, de l'entregent, de l'aisance dans les relations publiques. Il m'était difficile de dire jusqu'à quel point il devait posséder ces qualités et j'y pensais surtout quant au positionnement du produit. D'ailleurs, si l'on regarde la liste des chefs invités cette année-là et l'année suivante, on remarque un grand nombre de chefs de formations différentes. Cela permettait de voir s'il y avait un moyen de changer de direction. Il fallait donc combler nos vides avant même de songer à établir un comité de sélection. Nous avons eu la chance d'avoir des chefs qu'on attendait depuis des années, parce qu'on les a surpris en vacances.»

C'est précisément ce qui se passe avec Charles Dutoit. L'orchestre essaie de l'inviter depuis deux ans, mais un problème de disponibilité se pose à chaque tentative. Par ailleurs, son agent n'est pas installé en Amérique du Nord mais à Londres. Tout finit néanmoins par s'arranger, et Dutoit accepte d'interrompre ses vacances pour venir diriger deux concerts à Montréal.

Zarin Mehta est à l'époque membre du conseil d'administration de l'Orchestre. Goodwin se réjouit de voir à quel point leurs opinions s'harmonisent. «Zarin était impliqué de très près, non pas dans le choix des oeuvres, mais au point de vue musical, et il m'a été d'une aide précieuse. La même procédure était appliquée à tous les chefs. Ils arrivaient, on les suivait un peu en répétition, ils dirigeaient et nous les invitions à déjeuner le lendemain midi.» Goodwin avait des «espions» dans l'orchestre, quelques musiciens en qui il avait une confiance totale et dont il connaissait l'objectivité. «Je ne voulais pas choisir un chef avec lequel les musiciens ne seraient pas d'accord. Je ne demandais pas l'avis de l'orchestre, je ne lui demandais pas de voter; mais quelques musiciens que je connaissais pour leur discrétion et leur capacité à émettre le jugement le plus objectif possible m'ont été d'une grande aide.» En outre, déjeuner avec le chef invité permet non seulement de le remercier mais également de tester toutes les qualités que Goodwin a mentionnées plus haut. «L'aspect personnel était tout aussi important que l'habileté musicale. Ceci est purement hypothétique bien sûr, mais je crois que si nous nous étions trouvé devant une personne d'une habileté extraordinaire mais dépourvue des autres qualités requises, nous aurions probablement beaucoup hésité. Son talent aurait sans doute fini par l'emporter, nous aurions fini par atteindre les mêmes objectifs, mais le «pauvre» chef aurait été complètement défavorisé. Il y avait beaucoup d'électricité dans l'air à ce moment-là.»

Une délégation montréalaise à Londres et un engagement tacite

À cette époque, en effet, l'Orchestre vit, politiquement parlant, des moments excessivement difficiles. Il y a, d'une part, le problème d'image et, d'autre part, l'obligation de faire face à des critiques véhémentes émanant du milieu en général. Enfin, il y a le problème syndical. Ce sont les raisons pour lesquelles les qualités de futur chef soulignées par Goodwin semblent si importantes. Lors de ces «déjeuners-entrevues», ce dernier se fait accompagner d'ordinaire par Luc Charlebois et Bernard Théorêt, chargé des relations publiques. Après le déjeuner avec Dutoit, chacun d'eux est convaincu qu'il est l'homme de la situation. Théorêt prend sa décision en cinq minutes. Il déclare: «C'est l'homme qu'il nous faut.» Étant en charge des relations publiques, il recherche l'*image maker* et est prêt à oublier les autres qualités et défauts de la personne choisie, quels qu'ils soient.» Il reste donc à Goodwin à négocier cette décision avec son conseil d'administration. «J'avais une convention avec le comité exécutif: je menais la barque comme je l'entendais. Ou bien ils me faisaient confiance et me suivaient, ou bien ils m'an-

143

nonçaient poliment qu'ils se dispensaient de mes services. Naturellement je mettais, dans mes rapports avec eux, toute la déférence et le respect qui leur était dû. En d'autres termes, ils n'avaient pas le choix. Il me fallait un partenaire artistique avec lequel je m'entendrais bien. Pour bien fonctionner avec le comité exécutif, il fallait que je réfléchisse à leur façon de penser et non pas uniquement à la mienne. Il fallait que j'entre dans leur type de fonctionnement.»

Tout d'abord, Goodwin doit faire passer son candidat. Aucun problème de ce côté-là: la compétition n'est pas à redouter puisque le comité exécutif, lui, n'en a pas. En second lieu, il n'ignore pas que le comité trouvera cette décision trop rapide, peut-être irréfléchie, et qu'il aura à la défendre avec des arguments solides. Le troisième aspect du problème est le type de programmation. Les membres du comité ne doivent pas nécessairement savoir ce que le prochain chef va mettre au programme, mais ils préfèrent y retrouver ce qu'ils connaissent, ce à quoi ils sont habitués. Enfin, dernier aspect, les critiques parues au lendemain du premier concert sont dithyrambiques en français et plutôt réservées dans la presse anglophone. La critique influence toujours et là, elle est un peu mitigée. «Je voulais que le prochain directeur artistique ait l'appui inconditionnel de tout le comité exécutif. Il m'est apparu alors que Zarin Mehta était la personne sur laquelle je devais m'appuyer; j'étais certain que les autres membres du comité se tourneraient vers lui pour avoir son avis. Il fallait donc que Mehta rencontre Dutoit.» Mehta et Goodwin se rendent alors à Londres afin d'entendre Charles. Goodwin a obtenu de l'exécutif l'autorisation de négocier un contrat d'engagement. Mehta se montre un peu sceptique, mais Goodwin veut rentrer à Montréal avec un contrat signé!

Mais revenons au concert du 15 février et à son succès total. On se souvient que Terrence Harrison, l'impresario de Charles à Londres, reçoit un coup de téléphone au cours duquel on lui demande si Dutoit peut remplacer de Burgos

144

pour deux concerts. Peu de temps auparavant, Charles avait donné des concerts en Suisse avec le violoniste Isaac Stern qui, ayant éprouvé énormément de plaisir à jouer sous sa direction, lui avait appris que l'Orchestre de Montréal cherchait un chef: «Je ne sais pas si cela vous intéresse, lui a-t-il dit, mais je puis écrire un petit mot à mon ami Pierre Béique.» Encore un hasard, dira-t-on. Par ailleurs, autre fait marquant, Charles avait dirigé l'Orchestre philharmonique d'Israël en 1975. Celui-ci avait la réputation d'être excessivement difficile avec les chefs d'orchestre, mais tout s'était très bien passé: «Cet orchestre n'est pas très discipliné, mais il est fantastique et tout a été pour le mieux. Les musiciens se sont montrés très souples. Je me suis très bien entendu avec eux.» Or, le directeur artistique de l'Orchestre philharmonique d'Israël est Zubin Mehta, le frère de Zarin. C'est lui qui, s'entretenant des problèmes de l'OSM avec son frère et avec Pierre Béique, suggère qu'on engage Charles: «Je ne le connais pas, mais je sais que les musiciens de l'Orchestre de Tel-Aviv étaient ravis, ce qui est fort rare. C'est très bon signe.» Ainsi, après un conciliabule entre les intéressés, on engage Charles pour ces deux concerts.

Le lendemain, Charles Dutoit se rend à Washington pour y passer deux jours avec son fils, puis il rentre en Europe en Concorde pour y terminer sa saison. La première impression, lors du fameux déjeuner à Montréal, a été bonne. «Lorsque toute la délégation de Montréal m'a invité à déjeuner — c'était au *Steak House* du Méridien —, j'étais en pleine forme, très content et je leur ai expliqué mon opinion sur la façon de développer un orchestre. Ils avaient l'air intéressés et satisfaits. Je crois que je les ai convaincus. Peut-être avaient-ils un peu provoqué cette situation pour voir quels étaient mes objectifs.» Toujours est-il que, quelques mois plus tard, au début de l'été, Dutoit reçoit, en Suisse, un nouveau coup de téléphone de Terrence Harrison lui annonçant qu'une délégation arrive de Montréal pour l'entendre à Berne. «Curieusement, je dirigeais, ce soir-là, pour la première fois de ma vie, la *Treizième Symphonie* de Chostakovitch, *Babi Yar*, que j'ai donnée pour la seconde fois à New York en 1985. J'aurais préféré ne pas les voir à Berne, où j'étais très occupé par des répétitions supplémentaires avec les choeurs. Par ailleurs, trois ou quatre jours auparavant, j'avais reçu un coup de téléphone de Londres m'annonçant que Riccardo Muti, qui devait diriger l'Orchestre Philharmonia, était malade. Ils désespéraient de trouver quelqu'un pour le remplacer pour le concert du dimanche soir. Les jeudi et vendredi, je donnais des concerts à Berne. Et le dimanche, en principe, je partais pour l'Australie. Techniquement, je ne pouvais pas diriger au Festival Hall de Londres. Finalement, j'ai décidé de partir pour Londres par l'avion de sept heures samedi matin, d'y diriger les répétitions, d'y donner le concert le lendemain et de m'envoler pour Sidney le lundi matin seulement.»

Finalement, la fameuse «délégation» décide d'aller à Londres. La stratégie de Goodwin est simple: «Je voulais que Mehta et Dutoit passent la soirée ensemble à discuter de choses et d'autres. J'étais sûr qu'ils allaient se mettre à parler musique et qu'ils allaient se charmer mutuellement; je savais qu'il y aurait de grands efforts de part et d'autre au début et que ça finirait par de grandes accolades. J'étais sûr qu'ils allaient s'aimer.» Effectivement, après le concert, tout le monde se rend chez Terrence Harrison pour y passer la soirée, et Zarin et Charles parlent de programmation. «Je savais que Charles était très souple et d'une compréhension rapide, tout comme Zarin, souligne Goodwin. Je savais que je n'aurais pas à intervenir, que Zarin et Charles seraient en pays de connaissance.»

Chacun parle de son domaine, Goodwin de ses problèmes administratifs, Zarin de la programmation, mais ni l'un ni l'autre ne s'adresse officiellement à Charles ce soir-là, et il n'est jamais question d'un engagement éventuel. «Ils me parlaient comme à quelqu'un de la maison sans m'avoir jamais proposé quoi que ce soit ni même posé une question. J'ai

PHOTO IVAN DUTOIT

«Son travail semble être un heureux mélange d'autorité et de séduction auprès des instrumentistes qu'il a devant lui.» Gilles Potvin, *Le Devoir*.

Avec Daniel Barenboim et Jacqueline du Pré à Londres en 1981.

Charles a toujours été particulièrement attiré par le Japon, on le voit ici en compagnie du grand compositeur Toru Takemitsu à Tokyo en 1985.

L'OSM et la SMCQ collaboraient pour la première fois ensemble en 1978 pour rendre hommage à Olivier Messiaen. On aperçoit ce dernier à son arrivée à Montréal, avec Gilles Tremblay, Yvonne Loriod, Maryvonne Kendergi et Charles.

Charles est reçu docteur *honoris causa* à l'Université de Montréal.

Lors de la dernière tournée de l'Orchestre. Charles en compagnie d'Andres Segovia et d'Alicia de Larrocha à Carnegie Hall.

Avec Rudolf Serkin à Montréal.

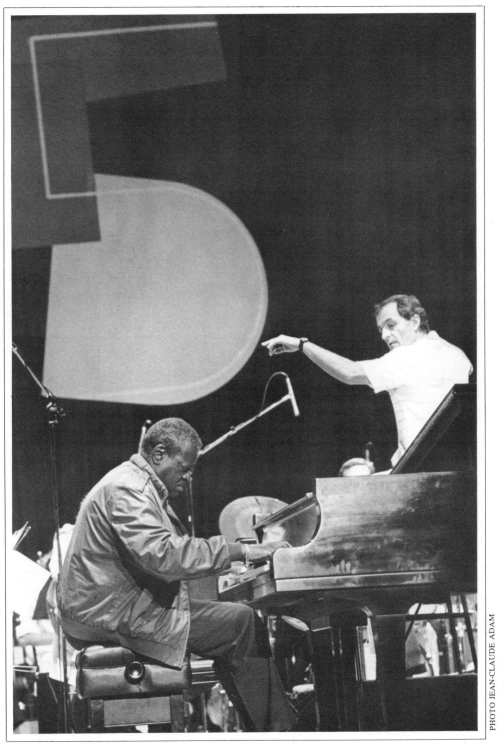

L'Orchestre participait au Festival de jazz en 1984. On le voit ici accompagnant Oscar Peterson au Forum.

Avec Jean-Luc Ponty.

L'Orchestre symphonique de Montréal accompagnant James Galway.

Avec Jessye Norman.

La Huitième Symphonie de Mahler au Forum de Montréal, le 29 et 30 mai 1984. Trente mille personnes viendront entendre leur orchestre.

L'église de Saint-Eustache, endroit acoustiquement parfait où l'Orchestre enregistre depuis 1980.

trouvé cela vraiment incroyable!» Le lendemain matin, à l'aube, Dutoit n'a que le temps de passer rapidement à son hôtel, d'y prendre sa valise et de se rendre à l'aéroport où il va s'envoler pour Sidney sans très bien savoir s'il est engagé ou non.

Reste à négocier le contrat avec Terrence Harrison et avec le comité exécutif. «Cela aurait été présomptueux de ma part, précise Goodwin, d'annoncer au comité exécutif que tout était réglé et qu'on avait Dutoit pour directeur. Il fallait que je leur fasse une proposition. Avec son manager, c'était chose entendue, et Charles, de son côté, avait l'air très intéressé. Si le comité avait d'autres questions à poser, Zarin était là pour répondre.» Toutefois le comité exécutif, qui ne connaît pas Dutoit, accepte la proposition de Goodwin d'organiser une rencontre. L'engagement est cependant tacite: Jean Richer, alors président de l'OSM, présente Charles à tout le monde comme directeur artistique, alors que le contrat n'est pas encore signé!

Charles reste deux mois en Australie, donne douze concerts à Sidney, d'autres à Melbourne, à Brisbane, à Perth et à Adélaïde. C'est dans cette dernière ville qu'il reçoit un coup de téléphone de Madeleine Panaccio qui lui demande s'il peut passer par Montréal lors de son retour en Europe. «J'avais grand besoin de vacances et mon intention était de rentrer en Europe par Bali et d'y rester quelque temps. Finalement, j'ai décidé d'aller me reposer à Fidji et à Tahiti. Et je me suis ensuite retrouvé à Montréal comme convenu.»

Un contexte politique fragile

Madeleine Panaccio et Bernard Théorêt accueillent Charles à Dorval. Après une nuit de repos, on le conduit dans un club de golf très chic afin de le présenter aux membres du conseil d'administration. Jean Richer, alors président de l'Orchestre, présente Charles comme directeur artistique et, bien que le contrat ne soit pas encore signé, celui-ci assumera ses nouvelles fonctions quelques jours plus tard, le 1er septembre 1977. «On voulait qu'il vienne le plus souvent possible, dit Goodwin, et, pour sécuriser le public et les musiciens, on a annoncé sa nomination tout de suite. Mais on ne voulait pas lui imputer cette saison 77-78 dont on pouvait dire qu'elle était un peu bâtarde.» En fait, son vrai travail avec l'orchestre ne commencera qu'en septembre 1978.

Entre les débuts de Charles Dutoit à Montréal et sa nomination, six mois seulement s'étaient écoulés. «Rentré en Europe, j'ai commencé à réfléchir à la réorganisation de l'Orchestre. Je n'avais, de l'Amérique du Nord, qu'une connaissance de touriste mais je savais néanmoins ce que faisaient mes collègues.» Dutoit se fait envoyer toute la documentation possible ainsi que les programmes des dix dernières années, afin de se familiariser avec la vie musicale de

Montréal. C'était le premier point important. Le second étant le contexte politique extrêmement délicat existant à cette époque, et pour lequel Charles n'est pas préparé. «En Suisse, malgré les grandes différences culturelles, il existe une incontestable unité politique. Nous faisons appel au référendum pour traiter toutes les questions d'intérêt national mais le pays reste très peu politisé. J'avais beaucoup lu sur l'histoire du Québec et je croyais comprendre les raisons de ce réveil national, mais j'étais peu préparé pour faire face à ces problèmes d'identité et de tensions fédérales-provinciales.

L'atmosphère est tendue lorsque Dutoit arrive. Plusieurs musiciens ont émigré, et quelques grandes entreprises qui aidaient l'orchestre ont transféré leur siège social à Toronto. D'autre part, l'Orchestre est mal vu à Québec qui le blâme d'avoir engagé, sous le règne de Franz-Paul Decker, un grand nombre de musiciens américains. Enfin, les relations entre l'Orchestre et le maire Drapeau sont difficiles. Dès son arrivée, Charles Dutoit tente de remonter la pente et prend rendez-vous avec les principaux responsables politiques des trois niveaux du gouvernement.

Il rencontre le maire Drapeau à l'Hôtel de ville à l'occasion de la signature du Livre d'or. Un courant de sympathie s'établit immédiatement entre les deux hommes. Le dimanche suivant, le maire invite Charles à visiter en sa compagnie toutes les installations culturelles de la ville. C'est lors de cette visite que Charles lui expose pour la première fois les grandes lignes de sa stratégie. Le maire semble enchanté et décide immédiatement de redonner à l'OSM les concerts d'été de l'aréna Maurice-Richard qu'il avait supprimés quelques années auparavant.

Charles se rend ensuite à Québec, au ministère des Affaires culturelles, où le ministre Denis Vaugeois lui demande d'exposer ses problèmes à Noël Vallerand, sous-ministre adjoint aux Affaires culturelles, grand mélomane et admirateur de Monteverdi et de Mahler. Charles s'efforce, lors de cette rencontre, de répondre aux critiques gouvernementales concernant l'engagement de musiciens étrangers. N'ayant engagé lui-même aucun musicien et souffrant de l'héritage que lui ont laissé ses prédécesseurs, il établit néanmoins très clairement le niveau qu'il veut atteindre avec l'OSM. Il précise que seuls les meilleurs musiciens l'emporteraient lors des auditions qui, par ailleurs, se dérouleraient derrière un rideau. Le seul critère serait la qualité du jeu et Charles ne ferait aucun compromis. Par contre, à compétence égale, il soutiendrait toujours les musiciens canadiens, afin d'assurer la stabilité de l'Orchestre.

On peut d'ailleurs constater, dix ans plus tard, les résultats de cette politique puisque la plupart des soixante nouveaux musiciens engagés par Charles Dutoit sont canadiens.

Lors de cette rencontre avec Noël Vallerand, Charles aborde d'autres problèmes, notamment celui de l'enseignement musical. À son sens, il ne suffit pas de reprocher à l'OSM de ne pas engager de musiciens canadiens mais encore faut-il donner à ceux-ci la possibilité d'être réellement prêts à assumer un poste dans un grand orchestre international. Charles propose la création d'un Institut des hautes études musicales qui drainerait les meilleurs éléments de tous les conservatoires et de toutes les universités du Québec et qui, sous la conduite de nouveaux professeurs, pourrait atteindre un niveau musical comparable à celui des meilleures institutions américaines (Juilliard, Curtis, Bloomington, etc.)

Il présente également à Noël Vallerand une étude importante qui propose la création d'un orchestre de jeunes de l'OSM. Ces jeunes musiciens travailleraient sous la direction du chef assistant de l'OSM (à l'époque Uri Mayer) et sous la supervision constante de Dutoit. Les musiciens auraient, entre autres avantages, l'occasion d'être mêlés aux membres de l'OSM pendant les répétitions afin de mieux comprendre l'importance de leurs responsabilités futures. Ils auraient d'autre part l'occasion de travailler chaque semaine pendant quelques heures soit avec le directeur artistique, soit avec l'un ou l'autre des chefs invités. Cette proposition n'a pas été retenue et l'Orchestre des Jeunes du Québec fut créé en 1977...

Lors de cette rencontre, Charles Dutoit aborde enfin le problème de la musique chorale au Québec et de la création d'un grand choeur de l'OSM, à l'instar des grands orchestres du monde.

La situation chorale à Montréal est en effet extrêmement négative. Depuis 1963, l'Union des artistes, syndicat auquel les choristes professionnels de Montréal sont affiliés, a la mainmise sur la Place des Arts. Le résultat est que l'OSM, contrairement à tous les grands orchestres du monde, est obligé de payer cinquante choristes professionnels pour chaque oeuvre chorale qu'il inscrit à son programme, même si ces oeuvres ne sont pas jouées à la Place des Arts, ce qui, bien sûr, limite considérablement la programmation. Paradoxalement, cette contrainte affecte les chanteurs solistes québécois qui, bien qu'appartenant au même syndicat, se trouvent privés de travail. Charles est très préoccupé par cette question car, pour lui, la tradition et la culture musicales dépendent énormément de l'activité chorale d'un pays. C'est le cas en Europe. Lors d'une visite ultérieure à Ottawa, il demandera une subvention de 500 000 $ au gouvernement pour la restauration de la vie chorale à Montréal.

À la veille de la fondation de l'Opéra de Montréal en octobre 1980, Charles réunit une table ronde comprenant des représentants de la radio et de la télévision, de l'Orchestre symphonique de Québec, du Festival du Centre national des Arts et de l'Opéra de Montréal dont, ironie du sort, le directeur artistique, Jean-Paul Jeannotte, ancien président de l'Union des artistes, est celui-là même qui avait négocié cette entente invraisemblable. Le but consiste à former un choeur réellement professionnel et d'étudier, avec les différentes institutions, la possibilité de le financer en fonction des besoins de chacun. Dutoit promettait d'engager ce nouveau choeur au moins deux fois par saison à l'OSM. Ce choeur aurait été formé des meilleurs amateurs de la ville et se serait produit librement, en particulier pendant l'été, dans le cadre d'un festival de musique sacrée à Notre-Dame. Un tel arrangement aurait procuré du travail à bon nombre de solistes québécois. Bien entendu, l'Union des artistes refusa même d'étudier cette offre.

L'équipe Dutoit se forme

Au cours de la première saison, Charles Dutoit, rappelons-le, n'est pas présent à plein temps à la direction de l'OSM. Il ne dirige que trois semaines de concerts. Il effectue néanmoins plusieurs voyages spéciaux pour faire passer des auditions et préparer les saisons à venir. Sa première grande saison s'ouvre au mois de septembre 1978. Il dirigera les concerts donnés durant quatorze des vingt-huit semaines d'hiver. Parmi les artistes invités, on entendra Rostropovitch, Mehta, Stern, Zukerman, Chung, Perlman et Laplante.

Lorsque John Goodwin était entré en fonction en 1974, il avait bien précisé qu'il ne resterait pas plus de cinq ans à l'OSM. Déjà en octobre 1978, lors de la première tournée québécoise avec Charles (l'Orchestre a donné des concerts à Chicoutimi, Alma, Rivière-du-Loup, Québec et Shawinigan), John parlait de son départ imminent. Il remet donc sa démission en 1979 et part entièrement rassuré: le directeur artistique qu'il a choisi remplira pleinement sa tâche. «En examinant le travail accompli, dit Goodwin, j'ai réalisé que j'avais atteint les objectifs que je m'étais fixés, mais je savais que je ne pouvais pas suivre Charles sur le chemin qu'il s'était tracé. Ses aspirations internationales, en particulier, étaient moins importantes pour moi que le rayonnement de l'Orchestre au Québec. Par ailleurs, j'avais mis en place les structures nécessaires afin que d'autres personnes, avec d'autres talents, d'autres ambitions et d'autres visées, puissent porter l'OSM là où il devait aller.» Lorsque Goodwin se retire, les relations sont rétablies avec la ville de Montréal, avec Radio-Canada, avec la communauté musicale de Montréal et la communauté en général.

Goodwin parti, il faut trouver un remplaçant. Celui-ci, à l'occasion de plusieurs discussions avec Charles, a chaleureusement recommandé Madeleine Panaccio, alors directrice des opérations, pour lui succéder. Charles, qui a fait la connaissance de Madeleine lors de sa première visite à Montréal, alors qu'elle travaillait encore au service des relations publiques, a pu apprécier la qualité de son travail et lui témoigne beaucoup d'amitié. Il est sûr qu'elle pourra assumer de grandes responsabilités à l'OSM, mais il pense néanmoins qu'il est prématuré de lui confier le poste de directeur général en raison de son manque d'expérience internationale.

La succession de Goodwin fait partie des préoccupations majeures de Charles. À son sens, l'organisation future de l'OSM exige que deux personnes se partagent ce poste — un administrateur au sens propre du terme et un administrateur artistique qui aurait suffisamment d'entregent et de compétences musicales pour être en mesure d'engager, auprès de leurs agences new-yorkaises respectives, les différents artistes que Charles désirerait inviter et pour développer avec ceux-ci des liens d'amitié indispensables au succès futur des saisons musicales. Trouver ces qualités réunies en une seule personne tient de l'utopie. Mais John Goodwin et Charles savent que cet oiseau rare existe: Zarin Mehta.

Zarin était arrivé au Canada à l'époque où son frère,

Zubin, était le directeur artistique de l'Orchestre. Comptable agréé, il avait connu une ascension rapide et était devenu associé de la prestigieuse firme Currie, Coopers & Lybrand. Passionné de musique, il s'était engagé très tôt dans les affaires de l'OSM. Membre du comité exécutif depuis 1973, il était depuis 1979 vice-président du conseil d'administration. Zarin était aussi, en quelque sorte, l'éminence grise du Conseil et ses avis musicaux étaient très respectés. Dès son arrivée à Montréal, Charles prend l'habitude de discuter très souvent de ses problèmes avec lui. L'ouverture d'esprit de Zarin, sa disponibilité et sa compréhension des problèmes musicaux internationaux en font un ami et un confident précieux.

Toutefois, le fruit n'est pas mûr, et Zarin se détourne, avec le sourire, chaque fois qu'on lui parle du poste de directeur général de l'Orchestre. Devant le vide laissé par le départ de John Goodwin, Roger Larose, alors président de l'Orchestre, se propose de remplir ce poste par intérim. Avec Charles, il s'attache à définir les tâches précises des deux administrateurs que l'Orchestre recherche. Les services d'une maison de recrutement sont retenus, et Dutoit et Larose rencontrent plusieurs candidats. Hélas, personne n'est choisi et le temps passe.

On publie des offres d'emploi aux États-Unis et en Europe, mais personne ne répond aux exigences établies.

Malgré cette carence, le travail se fait. Larose engage un nouveau directeur des relations publiques, Suzanne Sauvage, qui se met à la tâche avec beaucoup d'enthousiasme. Roger Larose et Charles se rendent à Ottawa pour rencontrer Charles Lussier, alors directeur général du Conseil des Arts, à qui Charles expose pour la première fois un plan à long terme devant aboutir, cinq ans plus tard, en 1984, aux célébrations du cinquantenaire de l'OSM. Charles veut commémorer cet anniversaire par un tour du monde avec l'Orchestre. Il s'étonne qu'une formation aussi importante que l'OSM ne se soit jamais produite à Vancouver et fait part à Lussier de son intention de faire une tournée à travers le Canada. (Il apprend par la suite que près de quarante musiciens n'ont jamais été à l'autre bout du pays!) Charles est consterné car, à Ottawa, on ne parle que de l'Orchestre de Toronto, comme si celui-ci était le représentant légitime du Canada. Exaspéré, Charles expose son projet de visites annuelles à Carnegie Hall et exprime son espoir d'obtenir pour l'OSM un contrat de disques important avec une maison internationale. Il est déterminé à prendre sa revanche et à redonner à Montréal et à son orchestre la place qui leur revient.

Il s'applique d'abord à obtenir un contrat de disques. Charles, dont la discographie compte déjà une cinquantaine de titres, vient d'enregistrer un disque à Los Angeles pour la maison londonienne Decca.

En janvier 1980, Dutoit prend rendez-vous avec le directeur de la maison Decca, Ray Minshull, qui est en voyage à Chicago. «Dès son arrivée, je me suis empressé de le rassurer: «Je voudrais que les choses soient claires entre nous. Je ne viens pas ici dans l'espoir de conclure une affaire, je viens simplement vous demander conseil.» Charles parle à Minshull de ses projets d'avenir avec l'OSM tout en soulignant le besoin pour l'orchestre de faire des disques et d'entreprendre des tournées afin de se faire connaître à l'étranger. «Sachant que vous travaillez avec les orchestres de Los Angeles, Cleveland, Detroit et Chicago, je voudrais savoir quelles sont les relations d'une grande maison comme la vôtre avec ces orchestres américains.» La réponse de Minshull est simple: «Nous avons avec ces orchestres un contrat stipulant que le salaire des musiciens pour les séances d'enregistrement est payé par l'orchestre lui-même alors que nous payons un cachet forfaitaire par disque. Par contre, contrairement à ce que nous faisons avec les orchestres européens, nous versons, une fois que les coûts de production sont amortis, une redevance dont le taux est négociable.» Autrement dit, Decca paie les frais de production intégralement et verse une somme forfaitaire qui constitue une partie du salaire des musiciens, la différence étant payée plus tard par des redevances si les disques se vendent bien.

Charles rentre à Montréal et fait part de sa rencontre avec Minshull à Roger Larose, qui réagit avec enthousiasme. Toutefois, l'Orchestre accuse un déficit de 800 000 dollars. Le comité exécutif hésite à investir 100 000 dollars, même s'il s'agit nettement d'un investissement pour l'avenir. Charles comprend qu'il lui faut créer un fonds spécial. Il téléphone au maire Drapeau. «Il m'a reçu à l'Hôtel de ville, le dimanche suivant, et nous avons passé la journée ensemble. Nous étions en tête-à-tête. Il connaissait déjà ma stratégie et, lorsque je lui exposé ce projet précis, il en a immédiatement compris l'importance. Sachant bien qu'il serait sensible à cet argument, j'ajoutai: «Ne seriez-vous pas fier de voir le nom de l'Orchestre symphonique de Montréal dans les vitrines des grands disquaires de New York, Londres, Paris ou Tokyo?» Sa réponse fut immédiate: «Trouvez la maison de disques, je trouverai les 100 000 dollars. »

Lors de sa discussion avec Ray Minshull, Charles n'a bien sûr pas manqué de vanter les mérites de son orchestre. À la fin de l'entretien, Charles lui avait dit: «J'en ai assez de faire des disques pour vous avec des orchestres que je connais à peine et dont les résultats artistiques ne me satisfont pas entièrement, alors que je sais qu'à Montréal les résultats seraient infiniment supérieurs.» Et de lui faire remarquer avec le sourire qu'Ernest Ansermet, qui avait eu une énorme influence sur son développement, avait, avec l'Orchestre de la Suisse romande, fait des disques avec la maison Decca pendant trente-cinq ans. Charles essayait évidemment de lui «vendre» l'idée de refaire à Montréal, autre ville francophone, ce que Decca avait fait à Genève. Toutefois, l'OSM n'était pour Minshull qu'un nom, et il était loin d'être convaincu que cet orchestre rencontrât les exigences de qualité de sa maison.

159

Répondant à l'invitation que Charles lui avait lancée quelques jours plus tôt à Los Angeles, Minshull, sur le chemin qui le ramène à Londres, s'arrête à Montréal, afin de visiter avec lui cette ville dont il lui a tant parlé. Charles organise en hâte à Radio-Canada un visionnement des films que l'OSM avait tournés pour la télévision, entre autres *Le Sacre du printemps* et *L'Oiseau de feu*.

Minshull est impressionné par la qualité du jeu de l'Orchestre dans *L'Oiseau de feu*. Le même jour, Charles le présente au maire Drapeau qui lui raconte, enthousiaste, la fameuse discussion à l'Hôtel de ville. À partir de là, tout va très vite.

Minshull, convaincu de la possibilité de faire quelque chose d'intéressant à Montréal, enchanté par la ville, charmé par son maire, rentre à Londres. Nous sommes fin janvier 1980. En mars, un contrat de trois ans est signé, et Decca envoie sur-le-champ des techniciens pour trouver une salle.

La stratégie du répertoire est encore à définir. «Nous essayons alors d'élaborer une stratégie artistique et commerciale tendant à percer plusieurs marchés à la fois. Parmi les trois premiers disques, seule l'intégrale de *Daphnis et Chloé* serait un disque d'orchestre. En collaborant avec des solistes exclusifs de Decca, telle Kyung-Wha Chung, le nom de l'Orchestre serait associé à un marché déjà établi, celui de la soliste. Quant au troisième disque, il fallait qu'il soit très populaire. Le choix s'arrête sur le célèbre *Concerto d'Aranjuez* de Rodrigo. Pour les années à venir, le pourcentage des disques d'orchestre augmente par rapport aux disques de solistes. Les premiers enregistrements ont lieu au mois de juillet 1980, donc six mois plus tard.»

L'épopée des disques

En raison des contraintes syndicales, il est impensable d'enregistrer à la Place des Arts. Les syndicats exigent en effet que Decca engage, en plus de ses propres techniciens, ceux de la Place des Arts, dont elle n'a évidemment nullement besoin. La société de disques refuse de payer des techniciens à ne rien faire. D'autant plus que l'acoustique de la salle est mauvaise et ne pourra jamais permettre à l'Orchestre d'atteindre à la qualité de son recherchée. Les techniciens de Decca sont au désespoir. C'est par pur hasard que Michel-Pierre Boucher, directeur des tournées de l'OSM, entend parler de l'église de Saint-Eustache. Il s'empresse d'y amener James Lock, l'ingénieur du son de la maison Decca, qui a déjà visité sans succès une quarantaine d'églises dans la région de Montréal. En entrant dans l'église de Saint-Eustache, il claque des doigts, attend un bref instant et s'écrie: «*Perfect!*» L'Orchestre a enfin un studio d'enregistrement. Reste à préparer les musiciens.

Charles et ses musiciens n'en sont pas à leur première expérience d'enregistrement commercial. Un an auparavant, ils avaient en effet enregistré, pour la filiale canadienne de la Deutsche Grammophon (DGG), le *Concerto pour piano* et

Harmonica Flash du compositeur québécois François Dompierre, avec, en solistes, Édith Boivin-Béluse au piano et Claude Garden à l'harmonica. À cette occasion, la grande firme allemande avait envoyé son équipement à Montréal et délégué l'un de ses meilleurs producteurs, que Charles connaissait déjà pour avoir travaillé avec lui dix ans plus tôt à l'occasion de l'enregistrement du concerto de Tchaïkovski. La salle Claude-Champagne avait été choisie comme lieu d'enregistrement. Il faut préciser que l'environnement acoustique, pour ce disque qui faisait appel, en plus de l'orchestre symphonique, à de nombreux instruments de jazz, était moins important que pour les disques ultérieurs faits pour Decca. En effet, la DGG avait enregistré la bande sonore sur dix-huit pistes et avait réalisé le mixage final dans ses studios de Hanovre, par opposition à la technique de Decca qui n'enregistre que sur deux pistes mais dans un environnement qui met en valeur la beauté sonore de l'orchestre, reproduisant ainsi un son totalement naturel et sans truquage technique.

Charles fait part à Ray Minshull de son expérience à la salle Claude-Champagne. Ce dernier vient assister à une répétition d'orchestre et juge l'acoustique de cette salle inadéquate.

Mais revenons au concerto de Dompierre. Charles avait prévenu les musiciens de l'Orchestre que, en raison du coût élevé des enregistrements, ils allaient devoir faire preuve d'une grande concentration et réagir immédiatement à ses indications. François Dompierre, qui y avait assisté ensuite, avait été abasourdi par l'efficacité de Charles. À la fin de la dernière session, il restait quinze corrections à faire en moins de vingt minutes. Dutoit n'avait plus le temps de déposer le téléphone qui le reliait au producteur, assis à sa console d'enregistrement dans une salle adjacente. Dès qu'il recevait les détails des corrections à faire, il donnait ses ordres à gauche et à droite. Tout le monde était essoufflé, mais le disque avait été, à la surprise générale, terminé à temps.

Fort de cette expérience, Charles prépare minutieusement ses musiciens pendant les six mois qui précèdent les enregistrements avec Decca, développant ainsi leur vitesse de réaction de manière à améliorer l'efficacité du travail. Le résultat est tel que Ray Minshull déclare, à la fin des premières séances d'enregistrement, que l'OSM est l'orchestre le plus discipliné avec lequel il ait eu l'occasion de travailler. Le but est atteint.

Le défi était colossal. Personne, à part James Lock, ne connaissait l'église de Saint-Eustache. L'orchestre s'y produisait pour la première fois. Les techniciens de Decca, malgré leur vaste expérience à travers le monde, étaient nerveux: ils se trouvaient dans une salle qui leur était inconnue, face à un orchestre qu'ils ne connaissaient pas et devaient produire un disque, *Daphnis et Chloé*, en un seul jour.

Charles, qui de son côté avait vendu l'idée à Decca et qui en portait intégralement la responsabilité, était, bien sûr, plus tendu que les autres. Mais tout s'est déroulé le mieux du monde.

À l'issue de ces enregistrements, ravie du succès, toute l'équipe de direction se retrouve au restaurant *Le Mitoyen*, à Sainte-Dorothée, pour fêter l'événement. (Deux ans plus tard, Charles et Marie-Josée retourneront dans ce même restaurant où Carole et Richard Léger prépareront leur somptueux repas de noces.) L'allégresse est générale. Tout semble avoir bien marché. Pourtant, Charles n'ose pas se prononcer. «Il est très difficile à un artiste qui travaille sous pression pendant quelques jours de juger objectivement le travail accompli. Il a besoin pour cela d'un certain recul et, généralement, appréhende l'instant où il entendra son enregistrement pour la première fois.»

Quelques semaines plus tard, Charles se rend à Londres pour écouter les bandes magnétiques de *Daphnis et Chloé*, des concertos de Saint-Saëns, de Lalo et de Rodrigo. Il travaille deux jours entiers avec le technicien qui a fait le montage, cherchant avec lui, dans la multitude de prises sonores, la possibilité d'améliorer certains détails. Il est émerveillé par la sonorité de l'ensemble. Oui, vraiment, l'acoustique de Saint-Eustache est incomparable, et déjà germe en lui le voeu d'avoir, pour son orchestre, une vraie salle de concert.

Pour un coup d'essai, c'est un coup de maître. Ray Minshull, qui avait été fort critiqué aux États-Unis pour avoir abandonné l'Orchestre de Los Angeles au profit de «cet inconnu» de Montréal, jubile.

La dure récession des années 80 a profondément affecté le marché du disque. La plupart des orchestres nord-américains voient se rompre leur contrat avec des maisons d'enregistrement — Los Angeles, New York, Boston, Toronto et beaucoup d'autres. Et voilà que, tout à coup, surgit à Montréal la combinaison gagnante. Le disque de *Daphnis et Chloé* est un succès immédiat et mondial. La presse est unanime, et cet enregistrement devient le symbole de la réussite de la nouvelle technique numérique. Il sera, quelques mois plus tard, l'un des premiers disques compacts à apparaître sur le marché mondial, et sa qualité en fera à la fois un disque de démonstration et de référence.

«Le moment était propice, explique Charles. Nous avons eu la chance de pouvoir faire notre premier enregistrement en utilisant ces technologies révolutionnaires. Depuis le début des années 50, au moment où l'on abandonnait les disques 78 tours pour les 33 tours et que l'on passait à la stéréophonie, aucun perfectionnement substantiel n'avait été apporté à la technique d'enregistrement, à part une tentative avortée appelée quadriphonie. Or, comme on le sait, depuis la crise du pétrole, le marché du disque classique, parallèlement à l'économie mondiale, déclinait rapidement. Les maisons de disques misaient sur la technique numérique et le disque compact pour relancer le marché. Je suis heureux de pouvoir dire que la qualité de l'Orchestre, dont la clarté convenait si bien à la limpidité de cette nouvelle technique d'enregistrement, nous a permis de faire partie de cette relance.»

L'un des critiques internationaux les plus influents, Edward Greenfield, écrit, en juin 1981, dans la célèbre revue anglaise *Gramophon:* «*On this showing, it is by far the finest French orchestra today, whatever they think in Paris.*» C'est le plus grand compliment qu'un orchestre canadien dirigé par un chef suisse puisse recevoir pour l'exécution de la plus magistrale oeuvre d'orchestre du répertoire français.

La saison d'été

On se souvient du souci de Charles de créer une saison d'été digne de son orchestre. D'autant plus que, puisque les disques sont enregistrés pendant l'été, il est plus urgent encore d'assurer une saison estivale qui permette à l'Orchestre de maintenir l'année durant le même niveau de qualité. Il faut pour cela créer une nouvelle série de programmes symphoniques. Charles, depuis son arrivée à Montréal, rêve d'un festival à l'église Notre-Dame.

«Pierre Béique était très enthousiaste. Il me suggéra de rencontrer le curé Le Cavalier lors d'un déjeuner à trois au restaurant *Guillaume Tell.*» À cette occasion, le curé Le Cavalier ne manifesta aucun empressement à l'idée de créer une série de concerts symphoniques à Notre-Dame, qu'il ne voulait pas assimiler à une salle de concert, mais il se montra par contre disposé à ouvrir l'église pour des concerts de musique sacrée, comme il en avait déjà été question à l'époque où l'on parlait de la fondation d'un choeur de l'OSM.

En 1979, un incendie endommage l'église Notre-Dame, qui ferme ses portes pendant les réparations. Il n'est pas question de concerts au cours de l'été 1979, d'autant plus que le curé, durement affecté par cette catastrophe, se montre plus réticent encore. Ce n'est qu'au début de 1980, alors que la qualité de la saison d'été est devenue une nécessité primordiale en raison des séances d'enregistrement prochaines, que Charles rencontre à nouveau le curé Le Cavalier. Il lui propose alors un festival Beethoven. Le couronnement en serait la *Neuvième Symphonie* dont l'«Ode de la joie» comporte cet «aspect sacré» auquel le curé est sensible.

Mais le curé hésite. L'incendie à Notre-Dame n'a fait qu'aviver ses craintes. Il redoute par-dessus tout que les gens fument pendant l'entracte. Charles propose donc des concerts sans entracte. Il reste une dernière condition: ne pas fermer l'église pendant les répétitions. Charles accepte. Le premier festival a lieu en 1980 et se donne à guichets fermés. L'année suivante, en 1981, le festival Brahms prend la relève.

Le festival Mozart-Brahms a lieu en 1981. «Pourquoi Mozart? Dès mon arrivée en Amérique du Nord, j'ai été surpris de constater à quel point la musique classique (la musique du XVIIIe siècle) était négligée par les orchestres symphoniques. Il est vrai que celle-ci est généralement l'apanage des orchestres de chambre, et il est difficile de programmer beaucoup de musique du XVIIIe siècle quand on dirige un grand orchestre, puisqu'elle n'exige habituellement qu'une formation réduite et pousse ainsi une importante partie des musiciens au chômage. C'est la raison pour laquelle les grands orchestres jouent en général beaucoup plus de musique du XIXe siècle.

«Non seulement la pratique soutenue du style classique est-elle, dans mon idée, indispensable à la culture sonore et stylistique d'un orchestre, mais Mozart a toujours été l'un de mes compositeurs préférés. Après le festival Mozart-Brahms de 1981, l'idée m'est venue de continuer cette association de Mozart avec un autre compositeur. C'est ainsi que naquit le festival «Mozart plus». Entre-temps, le succès prodigieux du film *Amadeus* n'a fait que confirmer la popularité grandis-

sante de ce compositeur. Aujourd'hui, l'OSM est peut-être
l'orchestre nord-américain qui a le plus grand répertoire de
musique classique.»

L'équipe du futur

On se souvient que Roger Larose avait accepté de remplir les fonctions de directeur administratif de l'Orchestre en attendant que l'OSM trouve le candidat idéal que Charles recherchait. C'est avec bienveillance et enthousiasme que Larose seconde ce dernier pendant cette période cruciale pour l'Orchestre: disques, festival d'été et premier projet de tournée. Mais il fallait un directeur administratif permanent.

Au printemps 1981, après deux ans de pourparlers, Zarin Mehta accepte enfin le poste de directeur général de l'OSM. Comme nous le savons, il joue depuis de nombreuses années un rôle important au sein du conseil d'administration et un courant de sympathie s'est établi entre Charles et lui dès leur première rencontre. Madeleine Panaccio est promue directeur général adjoint, et Claudette Dionne remplace Suzanne Sauvage à la tête des relations publiques. L'équipe du futur est enfin en place. Charles Dutoit, qui peut désormais compter sur des collaborateurs de tout premier ordre, se consacre dès lors strictement à ses fonctions artistiques.

L'*Histoire du soldat*

Le festival d'été à Notre-Dame, les tournées au Québec, les concerts dans les parcs... «Tout cela n'aurait pas été possible sans l'équilibre que l'activité internationale a apporté. La population était fière du succès de nos disques, mais je voulais qu'elle partage plus directement nos réussites. Je ne fais pas des concerts populaires pour faire du populisme. Je veux que tous les Montréalais connaissent l'OSM, c'est tout.» Charles cherche donc à démystifier l'Orchestre et la musique et entreprend en 1981 un programme de concerts populaires.

Il se produit en outre à cette époque deux événements qui auront des répercussions importantes sur sa vie. Stravinski, on a pu le constater, occupe une place importante dans son existence, et l'*Histoire du soldat* reste une de ses oeuvres de prédilection. Mais rappelons la genèse de cette oeuvre. Stravinski et Ramuz décident, en plein coeur de la Première Guerre mondiale, de monter un petit spectacle qui sera présenté dans plusieurs villages vaudois. Ramuz, inspiré par les contes russes que Stravinski lui a racontés, écrit l'*Histoire du soldat*. Les restrictions financières et l'absence de plusieurs musiciens partis à la guerre amènent le compositeur à écrire une oeuvre pour orchestre réduit comprenant deux instrumentistes à vent, deux cuivres, l'aigu et le grave, des cordes et un percussionniste. La mise en scène terminée, l'oeuvre est présentée pour la première fois au Théâtre municipal de Lausanne (Charles dirigera cette oeuvre au même théâtre quelque quarante ans plus tard). Le projet de tournée avorte, mais l'oeuvre va désormais faire partie de la culture vaudoise.

« J'avais déjà enregistré l'oeuvre avec la maison Erato et je me réjouissais de pouvoir diriger l'*Histoire du soldat* ici et de me balader avec mes musiciens un peu partout au Québec. Mais le projet ne suscitait guère d'intérêt. Madeleine Panaccio, à qui j'en avais parlé, était peu enthousiaste. La directrice des relations publiques à l'époque, Suzanne Sauvage, semblait être la seule à s'y intéresser. » Suzanne Sauvage présente donc Charles à Jean-Marc Côté Pouliot, directeur du Groupe d'animation urbaine du YMCA de Montréal. Pouliot est emballé. Mais entre-temps, un événement décisif se produit. Par l'entremise de Pouliot, Charles rencontre un des membres du conseil d'administration du YMCA, Marie-Josée Drouin, laquelle travaille à titre bénévole avec le groupe d'animation urbaine. « Il ne faut pas oublier que mes expériences d'homme et mes expériences de musicien s'interpénètrent continuellement et s'influencent l'une l'autre. Ma vie privée influence grandement ma vie professionnelle. »

C'est grâce à l'*Histoire du soldat*, qui est présentée dans les parcs de Montréal, que Charles rencontre celle qui va devenir son épouse. Il se croisent souvent, au cours de l'été 1981, lors des représentations de ce spectacle.

Au mois de novembre, ils sont tous les deux invités à une réception donnée à Chicago par le président de la banque de Montréal, William D. Mulholland, à l'issue de la tournée nord-américaine de l'OSM. Mais leur première réunion en tête-à-tête a lieu à Montréal alors qu'ils déjeunent chez *Matty's*. Charles vient de terminer la lecture du *Défi mondial* de Jean-Jacques Servan-Schreiber et s'inquiète des effets de la crise du pétrole. Marie-Josée est économiste et dirige le Hudson Institute; Charles en profite pour discuter du Club de Rome et de toutes les théories à la mode. De son côté, Marie-Josée travaille sur une étude prospective sur l'Allemagne de l'Ouest et tente de trouver dans le romantisme allemand du XIXe siècle une explication de la lenteur avec laquelle la révolution industrielle a été introduite en Allemagne. Leurs préoccupations se recoupent étrangement. Ils se découvrent aussi des affinités dans les domaines de la peinture et de la gastronomie. Quelques jours plus tard, Marie-Josée partira pour l'Allemagne. Lorsqu'elle rentre à Montréal, c'est Charles qui va passer Noël en Suisse avant de se rendre à Berlin pour diriger.

Ils se retrouvent en février 1982 et se marient le 8 avril.

«Ce fut très long à démarrer, nous dit Marie-Josée, mais une fois que les choses se sont enclenchées, tout est allé très vite.» Mireille, la soeur de Charles, se souvient qu'à Noël il lui avait parlé d'une jeune femme, mais qu'il n'était pas question de mariage. Trois mois plus tard, elle reçoit un coup de téléphone: «Peux-tu me trouver les papiers du divorce d'avec Martha, je me marie.»

En cette année 1982, année exceptionnelle entre toutes, Charles épouse donc Marie-Josée Drouin et trouve auprès d'elle l'équilibre qu'il a cherché toute sa vie. Marie-Josée, bien que son métier soit lui aussi très exigeant et l'oblige à de nombreux déplacements, s'est parfaitement adaptée à une existence dans laquelle il est nécessaire de jongler sans cesse avec les horaires de répétition et de concert, les voyages, les tournées, les enregistrements. Elle partage les mêmes goûts que Charles et, chose précieuse entre toutes pour cet homme si attaché à ses enfants, joue un rôle important dans leur vie. Le mariage et la famille occupent une place primordiale dans son existence comme dans celle de son époux. Charles trouve donc en elle la complémentarité, la plénitude dont il a besoin pour poursuivre sa carrière avec toute la sérénité d'esprit indispensable.

Il dirige, la même année, les cinq grands orchestres américains (*The Big Five*): New York, Boston, Philadelphie, Cleveland et Chicago. Il est également élu Grand Montréalais, titre honorifique décerné par voix publique, est nommé artiste de l'année par le Conseil canadien de la musique et reçoit deux doctorats *Honoris causa* en musicologie.

Les tournées

L'année 1981 voit se réaliser un projet dont on parle depuis 1979: la première des grandes tournées. En effet, au mois d'octobre, Charles Dutoit et l'OSM se produisent pour la première fois à Toronto et continuent leur randonnée canadienne jusqu'à Vancouver, en passant par Winnipeg et Edmonton. La tournée se poursuit ensuite à San Francisco, Los Angeles, Phoenix (Arizona) pour se terminer par un triomphe à Chicago, où la presse décrit l'OSM comme un orchestre «clair et précis, doté d'un bon équilibre sonore et d'une personnalité distincte». Six mois plus tard, l'OSM et son chef font leurs débuts à guichets fermés au Carnegie Hall de New York avec le soliste Itzhak Perlman. Ainsi le voeu de Charles Dutoit s'accomplit: l'Orchestre visitera cette vénérable institution annuellement. L'OSM a aujourd'hui son propre public à New York, où chacune de ses nouvelles apparitions est attendue avec impatience.

«Les tournées sont indispensables au développement artistique d'un orchestre, explique Charles. Non seulement elles permettent de tester de nouvelles salles et de nouveaux publics, mais elles confrontent aussi l'orchestre à des défis internationaux, tout en donnant la possibilité aux musiciens de vivre ensemble d'une manière plus intense. À cela s'ajoute l'obligation pour un orchestre qui fait des disques de se montrer à la hauteur de sa réputation.» Tel est le plus gros défi que l'OSM doit relever lorsqu'il se rend en Europe en 1984, premier volet du tour du monde auquel Charles songeait dès 1979.

L'OSM avait fait une première tournée européenne en 1963 sous la direction de Zubin Mehta, et Charles se souvient — quelle coïncidence! — du concert que l'Orchestre avait donné dans la grande salle du Casino de Berne cette année-là. Il avait même dîné avec Zubin, qu'il rencontrait pour la première fois, et avec l'agent de celui-ci après le concert.

Une deuxième tournée avait eu lieu dans les pays francophones d'Europe sous la direction de Frühbeck de Burgos en 1976. Mais la tournée de 1984 comporte des enjeux supplémentaires. C'est en effet la première fois que le «nouvel» orchestre symphonique de Montréal et son chef vont devoir prouver internationalement que les critiques louangeuses qu'ils ont suscitées et que les différents prix du disque qu'ils ont reçus sont mérités.

Les programmes sont préparés minutieusement, et Charles s'envole quelques jours avant le début de la tournée pour Genève où il accueillera lui-même ses musiciens à l'aéroport. Après un jour de repos, c'est la première répétition et le premier concert au célèbre Victoria Hall de Genève. Le nom de cette salle est associé, depuis 1918, à ceux de l'Orchestre de la Suisse romande et de son chef Ernest Ansermet, dont on connaît l'influence sur le développement de Charles. «Je me souviens très bien de cette répétition l'après-midi du concert et de ce mélange d'effervescence et de nervosité qui circulait chez les musiciens, nous dit Charles. Plus de deux heures avant le début de la répétition, ceux-ci s'entraînaient déjà dans les coulisses du Victoria Hall. On sentait bien l'importance de cette journée.» L'Orchestre va donc jouer dans cette salle vénérable où le vieux maître et son orchestre ont, trente-cinq ans durant, joué et enregistré le répertoire qui a fondé leur gloire internationale et que l'OSM reprend à son compte avec Decca, la même maison de disques. De plus, le programme de ce concert comprend *Le Sacre du Printemps*, oeuvre qui avait été entendue maintes fois dans cette salle.

La comparaison avec Ansermet et l'Orchestre de la Suisse romande s'impose d'emblée à tous les mélomanes. Après le concert de Genève, la critique est dithyrambique et déclare: «Dutoit atteint le parfait équilibre entre la précision française et la brillance américaine.» (*La Tribune de Genève*) Le chroniqueur de *La Suisse*, lui, écrit de son côté: «Les cordes sont gorgées de somptueuses sonorités. Souples, prêtes à toutes les nuances, montrant une homogénéité sans faille, elles rivalisent d'équilibre avec les bois clairs, bien timbrés, sans aucune acidité et des cuivres d'une grandeur et d'une splendeur exceptionnelles (...) D'entrée de cause, on sentit que l'événement musical de la saison se dessinait.» Et Bernard Grange de *La Tribune* poursuit ainsi: «Le temps de l'ouverture et la cause du chef était gagnée. Le chic, l'envol, le souffle. D'entrée de jeu, ils posent les atouts d'une préparation scrupuleuse et inspirée, d'une forme éclatante: métaphore électrisante que le geste élégant et volontiers désinvolte de Charles Dutoit.»

Après Genève se succèdent Berne, où Charles a laissé tant de souvenirs, Lausanne, sa ville natale, où les 2000 billets d'entrée se vendent en un éclair, puis Zurich.

L'orchestre se produit ensuite dans la première ville allemande, Munich, et, étape cruciale entre toutes, à Berlin. Berlin où joue l'orchestre de Nikish, de Furtwängler et de Karajan. C'est d'ailleurs dans la salle de la Philharmonie que se produisent les musiciens montréalais. Cette salle constitue un véritable chef-d'oeuvre de l'architecture moderne, et les nombreux matériaux naturels qui y ont été utilisés lui confèrent une acoustique merveilleuse. L'OSM offre aux Berlinois la *Rhapsodie espagnole*, le Chopin et, en fin de programme,

Le Sacre. Il s'agit là d'un choix audacieux, car les Allemands ne sont pas particulièrement amoureux de la musique française; quant au chef-d'oeuvre de Stravinski, il ne figure même pas au programme régulier de l'Orchestre de Berlin. Le concert remporte un immense succès. L'auditoire fait une ovation monstre à l'Orchestre à la fin du *Sacre*, que parviennent à peine à calmer deux rappels: l'ouverture du *Corsaire* et celle de *La Force du destin* de Verdi.

Le lendemain, la critique ne se montre peut-être pas aussi enthousiaste, et reproche au Ravel d'avoir manqué de mordant et au *Sacre* d'élan rythmique, mais elle ne peut s'empêcher de vanter le jeu de l'Orchestre et de rendre compte de la réaction très positive de l'auditoire. Détail cocasse, les critiques allemandes font grand cas du nombre de musiciennes que comptent les effectifs de l'Orchestre. Dans les pays germaniques, les orchestres sont encore presque exclusivement composés d'hommes, et l'on se souvient de la lutte amère menée par Karajan contre ses musiciens lorsqu'il décida d'engager une femme au pupitre de clarinette solo à Berlin. L'Orchestre de Montréal, avec sa politique d'engagement basée sur des critères exclusivement musicaux, sans distinction de sexe, semble donc bien en avance sur ses collègues d'Europe centrale.

Après Berlin, l'aventure allemande se poursuit et l'OSM joue dans une suite de salles célèbres dans des villes dont les noms sont tous synonymes de prestigieuse tradition musicale: Francfort, Hambourg et Bonn, la dernière étape avant Paris. Partout, malgré la fatigue grandissante, les musiciens donnent le meilleur d'eux-mêmes et s'imposent auprès du public et des critiques.

Avant d'atteindre la capitale française, Charles déclare: «Ou bien on y sera encensé, ou bien on se fera tirer comme des lapins.» Quoi qu'il en soit, le passage des Montréalais à Paris est un événement attendu. Déjà, une semaine avant le concert, les batteries se mettent en place, et *L'Express* annonce: «Le cousin canadien, enhardi par ses succès, vient en découdre chez ses rivaux hexagonaux sous la bannière de Charles Dutoit.»

C'est devant un parterre rempli de dignitaires des deux côtés de l'Atlantique que l'Orchestre affronte le public parisien. Pour ajouter à la solennité de l'occasion, le théâtre des Champs-Élysées, où va se donner *Le Sacre du printemps*, est l'endroit même où l'oeuvre avait fait scandale à sa création en 1913.

Le concert s'ouvre avec le *Triptyque* de Pierre Mercure, qui avait été l'élève du compositeur français Henri Dutilleux, puis se poursuit avec la *Symphonie fantastique* et se termine avec *Le Sacre*. Si l'accueil fait à l'oeuvre canadienne est un peu réservé, les deux derniers numéros au programme emportent l'adhésion unanime du public, et Dutoit accorde deux rappels: *Feria* de Ravel et *Le Corsaire*.

La critique parisienne s'incline à son tour devant la force conquérante qui anime l'Orchestre depuis le début de la tournée; on salue l'homogénéité et le brillant de la sonorité qui caractérisent tous les grands orchestres américains, de même que la clarté de son jeu qui le rattache à la tradition française. Bien sûr, le chroniqueur du *Monde* vient tempérer les louanges que son collègue anglais de la revue *Gramophon*, Edward Greenfield, adressait naguère à l'OSM et tranche ni plus ni moins la question de savoir quel est le meilleur orchestre français au monde par une pirouette: «Sans être le «meilleur des orchestres français actuels», selon la définition abusive de la revue anglaise *The Gramophon* (il ne comprend guère plus de quarante pour cent d'instrumentistes au patronyme canadien-français, et ses répétitions se déroulent en anglais), l'Orchestre de Montréal est un ensemble de haute qualité, très équilibré dans tous ses pupitres, d'une discipline impressionnante, qui peut rivaliser avec la plupart des orchestres internationaux. Et Charles Dutoit, chef très spectaculaire, élégant et efficace, à la direction précise et au dynamisme intense, n'a pas volé les acclamations du public parisien.» Et Jacques

Lonchampt conclut cet article en déclarant l'OSM «bien sous tous les rapports». Charles, d'excellente humeur, déclare plus tard en entrevue que, s'il a dirigé en anglais la répétition qui a précédé le concert, c'était «pour que les espions français qui se trouvaient dans la salle ne comprennent pas!»

Mais le dernier mot de cette polémique sera prononcé à Londres, dernière étape du périple européen de l'orchestre. Pour son concert au Barbican Center, les musiciens montréalais sont rejoints à nouveau par Martha Argerich, qui interprète le *Troisième Concerto* de Prokofiev. La *Rhapsodie espagnole* ouvre le programme tandis que la *Symphonie fantastique* occupe la deuxième partie. Le succès est une fois de plus au rendez-vous, et, le lendemain, Edward Greenfield déclare, dans *The Guardian*: «Je me sens dans l'obligation de réviser mon jugement sur l'Orchestre de Montréal et de le déclarer non seulement le meilleur orchestre français de tous les temps, mais aussi le plus bel orchestre d'Amérique du Nord.»

Les musiciens rentrent à Montréal le 16 avril, épuisés mais heureux. La tournée a été un succès total, autant pour l'Orchestre que pour son chef. L'OSM est fermement établi en tant que force majeure du monde musical actuel, et la réputation personnelle de Dutoit a atteint son apogée des deux côtés de l'Atlantique.

La tournée en Orient

Les articles dithyrambiques qui rendent compte de l'arrivée triomphale de l'Orchestre à Mirabel annoncent également la prochaine tournée au Japon et à Hong-Kong au début de 1985.

Lors d'une tournée en Extrême-Orient en 1981, à la tête du Royal Philharmonic Orchestra de Londres, Charles avait eu l'occasion de rencontrer le directeur du festival de Hong-Kong, Keith Statham, et lui avait longuement parlé de son désir de se produire avec l'OSM dans le cadre de son festival. Charles lui avait laissé du matériel publicitaire concernant l'OSM de même que le disque de *Daphnis et Chloé* qui venait tout juste de paraître. Tout au long de ce voyage, il n'avait pas manqué de parler de l'OSM à tous les organisateurs de concerts des villes où il se produisait avec l'orchestre londonien, notamment à Taipei et à Manille. Sur le chemin du retour, il décide de s'arrêter à Seoul et à Tokyo. (D'ailleurs, c'est au cours de ce voyage qu'il fête, en compagnie du compositeur Takemitsu, leurs anniversaires respectifs, les 7 et 8 octobre.)

En rentrant à Montréal, il rend compte à Zarin de ces démarches et lui remet le dossier en main. C'est ainsi que Zarin organisera, par le truchement du bureau de concert ICM

183

à New York, la tournée spectaculaire que l'OSM entreprendra en février 1985 à travers le Canada d'abord, au Japon et à Hong-Kong ensuite, deuxième volet du fameux tour du monde.

Deux solistes se partageront l'estrade, le merveilleux flûtiste de l'OSM, Timothy Hutchins, qui interprétera avec une verve éblouissante le *Concerto* de Jacques Ibert, et, selon le voeu des organisateurs nippons, la jeune violoniste japonaise, Yusuko Horigome, interprétera quant à elle le *Concerto* de Sibelius.

L'accueil réservé à l'OSM en Orient est tout aussi enthousiaste que celui rencontré en Europe. Les deux concerts à Tokyo, qui constituent l'apogée musical de la tournée, sont acclamés par la critique, et le public japonais se montre inhabituellement démonstratif à la fin du *Boléro*, offert en rappel par l'Orchestre, en réponse au souhait exprimé à maintes reprises par les organisateurs nippons.

Au festival de Hong-Kong, où l'Orchestre donne, à guichets fermés, six concerts et quatre programmes différents, la réaction du public prouve bien à quel point sa réputation a rayonné partout dans le monde.

Si, musicalement, le succès de la tournée est indiscutable, il se produit par contre un fâcheux incident — de nature politique, pourrait-on dire — qui marque la première note discordante, au moins aux yeux de la presse et des médias, dans les relations entre Dutoit et son orchestre.

Un accord a été pris à la dernière minute entre l'ambassade de Chine et le premier ministre Lévesque pour que la tournée s'arrête à Canton, étape qui n'était pas prévue au plan initial. Tout est organisé très vite — René Lévesque, n'arrivant pas à joindre Charles, a dû se résoudre à lui téléphoner chez son coiffeur —, et le gouvernement provincial s'engage à assumer les frais supplémentaires. Mais il reste encore un point important à régler. Le plan de tournée, qui a été approuvé par les musiciens depuis fort longtemps déjà, ne peut être modifié sans l'accord de ceux-ci.

Malheureusement, après délibération, les musiciens refusent, et insistent pour que la journée du 14 février soit consacrée au repos, comme prévu. «Cela m'a beaucoup peiné, j'ai trouvé ce comportement très puéril.»

Cet incident s'inscrit dans un contexte de négociations syndicales assez tendues entre la direction et les musiciens, qui venaient de terminer une grève d'une journée pour obtenir certaines améliorations de leurs conditions de travail. Mais tout cela fait partie des accrocs inévitables dans la vie d'un orchestre, et l'incident est vite relégué aux oubliettes, autant par le chef que par les musiciens. Un succès comme celui remporté par l'Orchestre est un baume efficace pour apaiser ce genre de différends.

L'avenir

Avec les tournées en Europe, en Extrême-Orient, dans l'Ouest des États-Unis et à Carnegie Hall, la plupart des grands centres musicaux du monde ont accueilli l'OSM. Il reste donc à parcourir l'Est des États-Unis avec ses grands centres musicaux, dont la capitale, Washington, ainsi que Boston. Zarin travaille encore une fois avec l'agence de concert ICM pour jeter les bases d'une nouvelle tournée internationale de l'OSM, la quatrième en cinq ans, qui va s'arrêter en trois semaines, dans deux villes de l'Est des États-Unis, pour se terminer, comme en 1981, à Chicago. C'est au cours de cette tournée que l'OSM, avec le concours d'Isaac Stern, aura le privilège de créer aux États-Unis le *Concerto pour violon* d'Henri Dutilleux, dont Montréal pouvait s'enorgueillir d'avoir entendu la première nord-américaine quelques semaines plus tôt, en présence du compositeur.

Si Charles a réservé des oeuvres de Richard Strauss, Pierre Mercure, Max Bruch, Tchaïkowski et Beethoven à la plupart des villes du Sud des États-Unis, de même qu'à Washington et Carnegie Hall, il tient à présenter à Boston un programme entièrement consacré à la musique française, et cela pour plusieurs raisons. L'Orchestre symphonique de Boston a acquis sous la direction de Serge Koussevitsky, de Charles Munch et de Pierre Monteux, une renommée inégalée dans le répertoire français en Amérique du Nord. L'OSM a donc un défi de taille à relever pour prou-

187

ver que sa nouvelle réputation est justifiée. De plus, Charles, qui a l'occasion de diriger régulièrement l'orchestre de Boston, connaît bien la sensibilité particulière du public et de la presse à l'égard de cette musique, et la nostalgie qu'ils ont gardée de l'époque glorieuse où ces grands chefs français se trouvaient à la tête de leur orchestre.

Tous les musiciens de l'OSM comprennent cela, et, dès les premières mesures du *Carnaval romain* de Berlioz, il y a de l'électricité dans l'air. De plus, ce concert dans le somptueux Symphony Hall de Boston, qui représente pour Charles la salle de concert idéale, donne enfin l'occasion aux musiciens et aux mélomanes montréalais qui les accompagnent dans leur tournée de comprendre l'importance des questions d'acoustique que le directeur artistique ne cesse de soulever depuis son arrivée en 1979. L'Orchestre, et les cordes en particulier, sonne avec une chaleur et une rondeur voluptueuses.

Les musiciens se surpassent, et le redoutable critique du *Boston Globe*, Richard Dyer, titre le lendemain: «*Dutoit, Montreal, Stern, on top of the World*». Dans son article, il déclare: «Il n'y a aucune formation symphonique au monde qui puisse rivaliser avec l'OSM et son chef dans le répertoire qu'ils considèrent le leur.» C'est le plus bel hommage que l'OSM et son chef puissent recevoir et qui vient couronner si admirablement sept ans de travail intense.

Les deux concerts à Carnegie Hall obtiennent leur succès habituel et, pour la première fois à New York, l'Orchestre doit répondre à l'enthousiasme du public par des rappels, ce qui est contraire à toutes les habitudes. À l'entracte du premier concert, auquel participait Alicia de Larrocha, Charles a la surprise de revoir le grand guitariste Andres Segovia, âgé aujourd'hui de quatre-vingt-treize ans, et qu'il n'a pas revu depuis son voyage au Chili et en Argentine en 1958.

Quant au dernier concert à Chicago, il obtient un succès plus vif encore que celui de 1981, et le critique du *Chicago*

Tribune, Howard Perch, s'exprime en ces termes: «Il devint bien vite évident, à mesure que se déroulait le délicieux concert donné hier par l'Orchestre symphonique de Montréal au Orchestra Hall, que cette formation mérite toutes les louanges qui lui ont été adressées, et encore plus.»

Que réserve l'avenir? Au mois d'août 87, l'OSM sera en résidence pendant une semaine au Hollywood Bowl de Los Angeles où il jouera cinq concerts, préludes à une nouvelle tournée de quatre semaines en Europe, en novembre 87. À part la France, l'Allemagne fédérale, la Suisse et l'Angleterre, où l'Orchestre s'est déjà fait connaître, la tournée conduira l'OSM au Portugal, en Espagne, en Irlande et en Allemagne de l'Est.

À l'occasion d'un voyage en septembre 1985 avec Marie-Josée, Charles a visité les salles nouvellement reconstruites de Berlin-Est et du SemperOper de Dresde, de même que celle du Gewandhaus de Leipzig. C'est là qu'il a rencontré Kurt Masur qui, quelques mois plus tard, se produisait à la Place des Arts avec son orchestre, invité par l'OSM. Il était à cette occasion accompagné du directeur de l'Agence des concerts de l'Allemagne de l'Est, et les deux hommes purent s'entretenir avec Zarin qui en profita pour suggérer d'inclure l'Allemagne de l'Est dans le périple européen de l'Orchestre. L'idée fut reçue avec enthousiasme, et c'est ainsi que l'OSM sera le premier orchestre nord-américain à se produire, au cours d'un même voyage, des deux côtés du Mur, à Berlin-Est *et* à Berlin-Ouest, invité à participer aux manifestations importantes célébrant le 750e anniversaire de la fondation de Berlin.

Des projets sont en cours pour visiter l'Australie et la Nouvelle-Zélande en 1988, de même que le Japon et la Chine en 1989, année qui marquera non seulement le 200e anniversaire de la Révolution française mais également le 40e anniversaire de la République populaire de Chine.

Enfin, un des plus grands voeux de Charles serait de mener son Orchestre en Amérique latine, région qu'il connaît si bien mais qu'il n'a plus visitée depuis le mois d'août 1977 lors d'une tournée avec l'Orchestre philharmonique d'Israël. Si ce voeu pouvait se réaliser, l'OSM et son chef auraient accompli leur tour du monde.

Entre-temps, et en dehors des dix-huit semaines qu'il passe avec l'OSM chaque année, Charles continue à mener la vie de chef itinérant comme il le fait depuis 1964, et qui lui a permis de diriger plus de 150 orchestres sur tous les continents. Seulement, il restreint aujourd'hui ses activités à quelques orchestres qu'il dirige pratiquement chaque année et pour de plus longues périodes, parmi lesquels on compte la Philharmonie de Berlin, le Concertgebouw, les Orchestres de Paris et de Londres, ainsi que ceux de Boston, Philadelphie, New York et Cleveland. Dans le domaine de l'opéra, auquel il ne peut accorder malheureusement qu'une période très restreinte chaque année, ses engagements, outre deux visites consécutives à Covent Garden, le mèneront pour la première fois au Metropolitan Opera en 1978. Il y retournera d'ailleurs trois mois, du 1er janvier au 31 mars 1990, pour diriger 23 représentations d'une nouvelle production du *Faust* de Gounod, ainsi que *Samson et Dalila*, dont les rôles principaux seront tenus par Placido Domingo et Agnes Baltsa. D'autres invitations, entre autres celles de l'Opéra de Paris et du Théâtre national de la Monnaie à Bruxelles ne pourront, faute de temps, être retenues.

*   *   *

Nous avons, en commençant ce livre, insisté sur le fait que Charles Dutoit était jeune, vivant et suisse. Le quinze février 1987, lorsque nous fêterons son 10e anniversaire montréalais, nous aurons sans doute l'impression, même s'il est moins suisse, que Charles Dutoit est toujours jeune et vivant.

190

Charles Dutoit parle de musique

Entrevue accordée par Charles Dutoit (C.D.) à Georges Nicholson (G.N.) en juillet 1986 à Montréal.

G.N. Charles Dutoit, j'aimerais que nous parlions de votre conception du son d'orchestre, ou plutôt des sons d'orchestre, puisqu'il y en a plusieurs, dont le son allemand, le son français, le son des pays de l'Est...

C.D. Le son d'orchestre idéal, selon moi, serait une combinaison entre le son de l'Orchestre philharmonique de Vienne, de celui de Boston et de celui de Cleveland. J'insiste sur le son viennois contrairement au son allemand, car je pense qu'il est important de les différencier. (L'Orchestre philharmonique de Berlin, qui possède évidemment le plus beau son allemand, joue avec une grande intensité sonore et une grande énergie intérieure, mais il ne joue jamais avec lourdeur, particulièrement dans le registre des cordes, tandis que certains orchestres allemands ont, si j'ose ainsi m'exprimer, un son de deuxième catégorie, épais et sans couleur.)

Parler du son, c'est aussi parler du style. Toute la musique de Mozart, de Haydn, de Schubert, de même que celle de la première période de Beethoven (le XVIIIᵉ siècle), ne représente pas, à proprement parler, le son allemand, mais plutôt le son classique viennois. Il est important d'insister sur ce point car il y a, dans la musique viennoise, ce charme et cette élégance que l'on retrouve aussi dans la musique française. L'Orchestre philharmonique de Vienne, quand il joue cette musique, est superbe. Absolument superbe! Le son n'est jamais lourd, jamais épais, il est toujours beau et très équilibré.

Pourtant, curieusement, les instrumentistes à vent de cet orchestre, pris individuellement, ne sont pas extra-ordinaires. C'est un peu le problème des orchestres de l'Europe centrale. Par contre, ils ont généralement des cordes magnifiques. À Vienne, bien que l'Orchestre ne possède pas des instruments à cordes d'une qualité comparable, par exemple, aux superbes instruments italiens de l'Orchestre de Philadelphie, il arrive toutefois à produire une sonorité magnifique.

Ce qui fait la force des cordes de l'Orchestre philharmonique de Vienne, c'est leur extraordinaire unité, parce que tous les musiciens proviennent de la même école. Ils sont tous viennois, il n'y a pour ainsi dire aucun étranger parmi eux. Ils jouent vraiment avec une homogénéité qui est unique au monde.

G.N. Que pensez-vous de l'Orchestre de Boston?

C.D. L'Orchestre de Boston a une sonorité qui me plaît, parce qu'elle est lumineuse. «Lumineux» est un adjectif que j'aime employer en parlant du son. Mais il ne doit pas l'être nécessairement. Le son de Schumann, par exemple, n'est pas lumineux. Voilà pourquoi, je vous le répète, on ne peut parler du son sans parler du style. Les styles de Bach, Schubert, Brahms ou

Stravinski exigent des sons différents. Le son dépend aussi de l'orchestration. Les Anglais, les Français et les Allemands orchestrent d'une manière différente qui est inhérente à leur style, qui en fait partie intégrante. Ce que je recherche toujours lors de mes répétitions, c'est l'authenticité du son de chaque compositeur, contrairement aux fâcheuses habitudes qu'ont certains orchestres de produire un son passe-partout qui finit par être attaché à leur nom. Ce que je m'efforce d'apporter à Montréal, c'est la variété stylistique et sonore qui fait partie de l'éducation pure et simple. Il y a beaucoup de confusion, naturellement, du fait que certains orchestres développent une plus grande virtuosité dans un style que dans un autre. Certains d'entre eux, comme ceux de Vienne ou de Berlin, ont formé leur style avec leur propre musique. Cependant un grand orchestre, en particulier celui de Berlin, a la possibilité, en travaillant avec un chef qui le lui demande, de s'adapter rapidement à un style ou à une musique qui lui sont moins familiers. Mais il y a d'autres orchestres qui n'ont pas cette flexibilité et auxquels une certaine musique échappe complètement. Ils ont formé leur style à partir de leur musique et, quoi qu'ils jouent, s'en tiennent à ce style. Prenons Debussy. Les orchestres allemands ont beaucoup de peine à assimiler la musique de ce compositeur, qui leur reste très étrangère; ils s'adaptent malaisément à la forme de sensibilité qu'elle contient. C'est pour cette raison que je dirige rarement des oeuvres de Debussy en Allemagne, à l'exception d'une récente et superbe expérience à Munich avec l'Orchestre du Bayerische Rundfunk, l'autre grand orchestre allemand, qui a donné des *Trois Images* une exécution superbe. Mais Debussy est bien sûr un cas tout à fait spécial, et on peut très bien vivre sans ce compositeur, alors qu'on ne peut pas se passer de Mozart et de Beethoven.

Mais pour en revenir au son et au style, certains orchestres, je le répète, sont tout à fait capables de s'adapter à une musique avec laquelle ils ont moins d'affinités.

G.N. L'intensité de Vienne, la luminosité de Boston... Et Cleveland?

C.D. L'Orchestre de Cleveland a été formé par Szell, qui était un des rares chefs possédant une réelle et profonde connaissance des styles musicaux alliée à un grand talent de pédagogue. Par une éducation sévère, rigoureuse, il a fait de cet orchestre le meilleur en Amérique. Il avait en outre une connaissance remarquable du style classique, et l'on peut dire que l'Orchestre de Cleveland est un des seuls en Amérique du Nord, à part peut-être celui de Boston, qui joue très bien cette musique. Cet héritage, bien que Szell ait disparu depuis quinze ans, reste intact. (C'est ce qui arrive généralement quand un chef reste longtemps avec un orchestre, mais, en ce qui concerne Szell, on peut dire que son apport a été tout à fait exceptionnel.) Cleveland peut jouer très fort, très intensément, mais ce n'est jamais bruyant. On peut jouer très fort lorsque cette force procède d'une réelle intensité intérieure. Mais il ne faut pas que cela devienne bruyant, clinquant, dur, haché, comme le son de certains orchestres américains, qui peut rapidement devenir vulgaire. J'ai horreur de la vulgarité.

G.N. C'est précisément là où je voulais en venir. Il y a chez vous, Charles Dutoit, cette phobie de la vulgarité, même là où la vulgarité pourrait être un moyen d'expression. Chez Mahler, par exemple, dont vous avez dirigé la *Cinquième Symphonie* au mois de mai...

C.D. Il n'y a pas de vulgarité chez Mahler.

La première femme de Charles, Ruth Curry, tenant le premier-né Ivan.

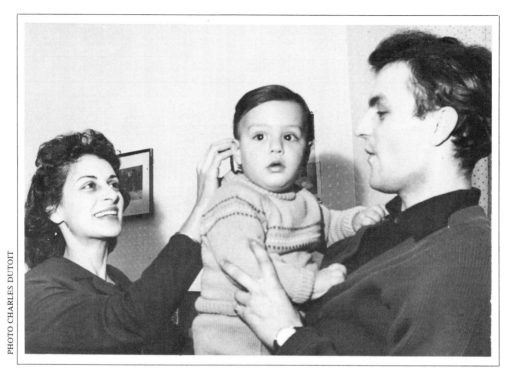

La famille Dutoit au début des années 60. Ruth, Ivan et Charles.

Ivan Dutoit à Épalinges.

A Buenos Aires en 1969 avec Martha Argerich. Ils viennent de se marier.

Portait de famille avec Martha, Charles et Annie, à Jouxtens.

En compagnie de Kyung-Wha Chung à Sydney, en 1977.

Le fameux Livre d'or de la mairie. Charles et Jean Drapeau. Le début d'une amitié.

Charles, à l'aréna Maurice Richard, avec Jacques Chirac et Jean Drapeau.

Charles discute avec un autre Grand Montréalais, Charles Bronfman.

Le jour des noces, Charles et Marie-Josée sortent après avoir signé les registres.

Un chef qui s'intègre bien au milieu.

Marie-Josée et Annie en compagnie de deux jeunes Tibétaines à Lhassa en été 1986.

G.N. Il n'y a pas de vulgarité, mais on peut très bien faire le début du *scherzo* sur un ton qui soit plus appuyé, et vous avez délibérément évité cela.

C.D. C'est une question de goût et tout cela est très subjectif. Chez Mahler, il y a ce qu'on appelle le *Schmalz* — mot que les gens emploient à tort et à travers sans savoir ce que cela signifie —, et l'utilisation systématique de certains moyens d'expression comme, par exemple, le *portamento* et le *rubato*. Mais tout est indiqué d'une manière très précise dans ses partitions. Comme chacun le sait, Mahler était également le plus grand chef d'orchestre de son temps; il savait donc exactement quelles indications donner pour obtenir le résultat souhaité. Autrement dit, une grande partie du travail du chef d'orchestre est déjà faite sur ses partitions, qui sont d'ailleurs parmi les plus faciles à travailler au point de vue technique parce que tout y est superbement écrit. L'étude approfondie des symphonies de Mahler est extrêmement importante pour un chef, parce qu'il apprendra, à travers ces oeuvres, certaines règles essentielles qui vont l'aider à équilibrer les textes d'autres compositeurs.

De grands excès ont été et sont encore commis au nom de l'interprétation musicale. Au XIXe siècle, par exemple, von Bulow était connu pour les excentricités et les libertés qu'il prenait avec le texte. Disons que cette attitude me déplaît, parce que, autant je crois en la subjectivité de l'interprétation, autant aussi je crois en l'honnêteté de l'interprète vis-à-vis de l'oeuvre qu'il va jouer. L'égocentrisme musical du XIXe siècle a fort heureusement été corrigé au siècle suivant par des chefs comme Weingartner et Toscanini, qui sont les premiers grands chefs d'orchestre modernes. Grâce à eux, nous avons appris à faire preuve d'une plus grande humilité vis-à-vis de la partition. Bien sûr, il y a, dans l'art de l'interprétation, un aspect transcendantal et beaucoup de subjectivité. Chaque concert est un moment musical unique qui dépend d'une série de facteurs qui vont influencer l'exécution de l'oeuvre. Les tempos, d'un concert à l'autre, ne seront jamais exactement les mêmes car une série d'éléments vont intervenir: facteurs physiologiques et psychologiques (fatigue, indispositions, nervosité, trac). Il est évident que l'on perd, dans une certaine mesure, le contrôle de la partition au moment du concert. Mais si l'on possède celle-ci à fond, le miracle se produit néanmoins, et le concert devient alors un moment musical absolument unique.

G.N. Si nous voulions faire une synthèse de tout ce qui fait partie de l'interprétation, que pourrions-nous dire?

C.D. L'interprétation est le résultat d'un long cheminement avec une oeuvre, pendant son étude et pendant les répétitions, combiné à l'acte musical au moment du concert.

G.N. Mais jusqu'où peut-on aller dans l'interprétation?

C.D. Quand j'étais jeune, on écoutait l'enregistrement de *La Passion selon saint Matthieu* avec Mengelberg, qui était une épopée absolument extraordinaire. Aujourd'hui, on ne peut plus écouter cette interprétation, qui est beaucoup trop emphatique. Car tout a évolué dans le sens d'une plus grande sobriété, d'une plus grande rigueur, d'un plus grand respect de la partition.

De grands changements se sont opérés, après la guerre, dans la manière de jouer Bach, par exemple, et de nouvelles modes se sont succédées; il y a eu Boyd Neel, Karl Richter, et il y a maintenant Harnoncourt et le retour aux instruments anciens. J'admire infiniment Harnoncourt, qui est en train de remettre en question les critères d'interprétation et les mauvaises habitudes qui se sont installées au XIXe siècle.

Et le même phénomène va se produire d'ici peu en ce qui concerne la musique du siècle dernier. Gardiner, Pinnock et Harnoncourt révisent d'ailleurs actuellement la musique du début de ce siècle. Ils se sont attaqués tout d'abord à la musique baroque, puis en sont venus à Mozart, et après Mozart, à Beethoven et à Schubert. Cette révision va devenir systématique, j'en suis persuadé.

Mais pour en revenir à la vulgarité, j'ai toujours dit et je répète que les grands interprètes ne tombent jamais dans ce travers inexcusable. Je ne vois aucune vulgarité dans une symphonie de Mahler dirigée par Bruno Walter ou dans n'importe quelle oeuvre dirigée par Furtwängler.

G.N. Très bien, parlons maintenant de Furtwängler et de son intervention dans les partitions. Si on écoute la *Neuvième* de Beethoven, on constate qu'il en a donné trois versions différentes. Celle de 42, quand il se sentait étouffé par Berlin et le nazisme, celle de 51, à Bayreuth, lors de l'apaisement, et celle de 53, dans la grande sérénité avant de mourir. On peut dire ce qu'on veut, mais il y a intervention.

C.D. Nous sommes tout à fait d'accord. Et cela illustre très bien ce que je disais tout à l'heure à propos des facteurs physiologiques et psychologiques qui nous empêchent d'être vraiment maîtres du tempo. Je faisais alors allusion à des exécutions rapprochées dans le temps, mais, à travers une vie, c'est encore plus flagrant. Un interprète qui enregistre la même oeuvre à des périodes différentes de sa vie et de son évolution, quand sa sensibilité et sa perception sont influencées par les événements qui affectent son existence, ne peut en donner la même interprétation. Dans le cas de

Furtwängler, c'est encore plus frappant, parce qu'il était peut-être le plus subjectif de tous les interprètes. Il n'essayait jamais de lutter contre cette subjectivité; il allait même jusqu'à laisser flotter certains passages aux répétitions afin de provoquer une tension supplémentaire dans l'orchestre au moment du concert. Il a même déclaré qu'il avait fait de cette subjectivité un credo.

G.N. Et vous, comment réagissez-vous face à ce phénomène?

C.D. De la même manière. Il y a des disques que j'ai enregistrés il y a quelques années et que je dirigerais différemment aujourd'hui.

G.N. Ce phénomène est-il plus présent dans l'interprétation de la musique classique?

C.D. Les grands chefs-d'oeuvre de l'art exigent souvent une vie entière pour en saisir la réelle dimension intérieure. C'est une des raisons pour lesquelles je n'ai pas encore dirigé d'opéra de Mozart. Je ne crains pas de diriger un opéra de Mozart du point de vue technique, bien entendu, mais je considère qu'il s'agit là d'un aboutissement qui doit couronner, après de longues années de réflexion et une connaissance parfaite des autres oeuvres de ce compositeur, la carrière d'un chef d'orchestre. Carl Schuricht, que j'admirais énormément, n'a dirigé, je crois, la *Symphonie en sol mineur* de Mozart qu'à l'âge de cinquante ans. Mais nous pourrions également parler de la *Neuvième* de Beethoven et de la difficulté qu'il y a à trouver et à sentir le tempo exact du premier mouvement et de *l'adagio*. Toscanini, lors du dernier enregistrement qu'il a fait de cette oeuvre, a déclaré qu'il avait enfin trouvé le tempo juste du premier mouvement et que, selon lui, celui-ci était extrêmement rapide. Il avait donc, à la fin de sa vie, percé ce secret. Mais il s'agissait là de l'aboutissement de son propre cheminement intérieur, et celui-ci ne correspond pas forcément à celui d'un autre interprète. Furtwängler est arrivé, à la suite d'un cheminement tout aussi long, à une vision totalement différente.

Ces grands maîtres peuvent évidemment aider un artiste à trouver sa propre réponse aux problèmes de l'interprétation, mais celui-ci ne peut, en aucun cas, les imiter. Chacun doit trouver sa propre voie.

G.N. Prenons, si vous le voulez bien, le mouvement lent de la *Neuvième*, que vous venez de diriger. Il y avait là certaines phrases qui avaient une intensité, une vibration — surtout dans les cordes — qui éclairaient le texte d'une certaine manière et qui laissent supposer que vous préférez, vous, une approche plus intérieure.

C.D. Cet *adagio* est une grande méditation. Les grandes phrases de violon sont des variations. C'est un mouvement avec variations.

G.N. Par contre c'est très «*cantabile*», très cantilène.

C.D. C'est «*cantabile*», mais ce n'est pas du *bel canto*. Le *cantabile* de ce mouvement-là, ce n'est pas Pavarotti qui va le chanter. C'est une musique qui se cherche d'abord. Elle est faite sur quelques notes, sur une mélodie qui évolue très peu. C'est un miracle... C'est peut-être le plus beau moment de toute la symphonie: ces variations colossales, entre ce thème qui plane dans l'harmonie et puis ces arabesques de cordes qui viennent, avec cette ligne absolument infinie, créer l'émotion. C'est une musique céleste.

Mais tout cela m'amène à vous parler du poids et de la lourdeur, qui sont deux notions très différentes et souvent confondues. Le poids musical n'est pas la lourdeur. La lourdeur est un défaut. J'ai vu un grand chef diriger récemment le premier et le deuxième mouvement de la *Neuvième* d'une manière inacceptable. Le mouvement lent était subdivisé d'une manière tout à fait pédante. Ce mouvement est extrêmement difficile parce que sa grande complexité rythmique demande que vous aidiez les musiciens à jouer ensemble. Mais en faisant cela, vous risquez de détruire complètement le discours musical. Battre sous le nez des musiciens toutes leurs notes et leurs subdivisions, leur rythme, est exactement le contraire de ce qu'il faut faire. Là, on voit la différence d'un chef d'orchestre à l'autre dans la manière et le courage qu'il a de laisser jouer l'orchestre et de n'imprimer que les grandes pulsations. Le mouvement lent de la *Neuvième* est, à ce point de vue, une des choses les plus difficiles à diriger. C'est comme un long cheminement éternel. Vous ne devez jamais perdre de vue cette immense ligne. Ce n'est pas que quinze ou vingt minutes de musique, c'est l'éternité! Vous avez cette immense pulsation et ces longs rythmes qui doivent précisément être là pour éviter que la musique ne devienne une mosaïque.

G.N. J'aimerais que nous parlions à présent de l'Orchestre de Montréal, puisque vous en êtes devenu, en 1977, le directeur musical.

C.D. Les musiciens, lorsque je suis arrivé, étaient très tendus. Les cordes forçaient beaucoup le son car elles ne passaient pas dans la salle. Elles essayaient, par toutes sortes d'artifices, dont un changement trop fréquent de coups d'archet, de ne pas se laisser écraser par le volume des cuivres et de la percussion, ces deux derniers groupes étant favorisés par l'acoustique très particulière de la Place des Arts. Inutile de vous préciser que tout cela nuisait terriblement à la culture sonore en général.

200

Une de mes premières préoccupations a donc été de rééquilibrer l'orchestre en fonction de cette salle. J'ai demandé aux cuivres et à la percussion d'ajuster leur volume sonore en fonction des cordes et, cela étant fait, la sonorité générale de l'orchestre s'est aérée, s'est embellie. Mais il s'agit là d'un premier volet assez rudimentaire. Nous nous sommes ensuite efforcés de développer une plus grande clarté dans la sonorité en jouant de plus en plus de musique du XVIIIe siècle. C'est ainsi que nous avons joué beaucoup de Haydn à cette époque, en particulier l'intégrale des symphonies de Londres (pour Radio-Canada), puis de celles de Paris (dans notre série des Concerts Esso), sans oublier bien sûr un nombre incalculable d'oeuvres de Mozart données dans le cadre de notre festival «Mozart plus» à Notre-Dame.

Nous avons ainsi acquis une connaissance approfondie du style du XVIIIe qui est, en quelque sorte, la bible du musicien.

G.N.   Pouvez-vous préciser?

C.D.   Il y a certains principes d'exécution de cette musique qui sont absolument clairs. Par exemple, quand vous avez deux notes liées et deux notes détachées, la deuxième note du groupe lié doit être dans le caractère de la note suivante et non pas dans celui de la précédente. Il faut faire en sorte que l'orchestre soit constamment attentif à cela afin que les musiciens développent l'audition.

Nous avons également accordé une attention plus constante et plus profonde aux subtilités de sonorité et de couleur, à une manière plus raffinée d'aborder la texture musicale. Lorsqu'un problème musical surgit au cours d'une répétition, je m'efforce toujours de l'isoler et de le travailler séparément avec les musiciens concernés, ce qui a l'avantage de permettre à leurs camarades de prendre plus rapidement conscience de leur rôle dans le contexte général. C'est ainsi que nous avons acquis une plus grande clarté dans notre jeu, que nous nous sommes préoccupés davantage du volume et de la beauté du son.

G.N. L'orchestre a donc été rééquilibré et le répertoire classique travaillé.

C.D. Oui, car à ce problème d'équilibre de l'orchestre s'ajoutaient ceux de la couleur et de la justesse.

La justesse d'un accord, par exemple, est plus facilement définie par l'oreille d'un chef d'orchestre, car le musicien qui joue a parfois de la peine à entendre correctement ses voisins. Le chef doit donc l'aider à équilibrer cet accord qui, s'il ne l'est pas, sonne mal. Comme vous le savez, chaque note, chaque son fondamental fait entendre d'autres sons que l'on appelle une série harmonique, qui est en quelque sorte composée d'une série de sons secondaires. Si plusieurs instruments doivent jouer ces notes, il faut que la justesse soit la plus parfaite possible de manière que les sons secondaires (les différentes séries harmoniques) puissent se mélanger. C'est cela qui crée la couleur. Lorsque l'accord est faux ou mal équilibré, les séries harmoniques, au lieu de se mélanger, se détruisent.

La couleur très particulière inhérente à chaque style est une de mes préoccupations majeures.

G.N. J'aimerais que nous parlions à présent de réorchestration. Que pensez-vous des chefs qui réorchestrent, par exemple, certains passages des symphonies de Schumann?

C.D. C'est un problème très délicat. Il est vrai que l'orchestration de certains passages, en particulier dans la *Troisième Symphonie*, ne répond pas aux critères de ce que, dans une académie, on pourrait appeler une

202

bonne orchestration. Je n'ai jamais, personnellement, changé une seule note dans une symphonie de Schumann, parce que ses prétendues maladresses sont en fait l'expression même de sa musique et de son style. Mahler a changé beaucoup de choses quand il dirigeait les symphonies de Schumann, mais ses versions ne sont pour ainsi dire jamais jouées aujourd'hui. Elles éclairent beaucoup plus le génie d'orchestration de Mahler qu'elles ne servent Schumann. Wagner lui-même n'a-t-il pas changé plusieurs choses dans la *Neuvième Symphonie*?

Il existe également une édition des symphonies de Beethoven, par Félix Weingartner, qui comporte une quantité de retouches, en particulier dans les parties de cors et de trompettes, et qui ont été partiellement adoptées par la plupart des chefs d'orchestre.

G.N. Il y a pourtant des musiques qui ne sonnent pas bien «naturellement». Prenons le cas, par exemple, du premier *tutti* du *Concerto en ré mineur* de Brahms.

C.D. Je rentre de Berlin où j'ai eu le plaisir de diriger cette oeuvre à la Philharmonie. Je dirige cet orchestre régulièrement, mais c'était la première fois que nous jouions une oeuvre de Brahms. Or je puis vous dire que ce *tutti* à la Philharmonie de Berlin était tout simplement prodigieux, prodigieux d'énergie et de dynamisme. La ligne était soutenue et pourtant elle ne collait jamais. Ce fut une expérience absolument merveilleuse.

Saviez-vous que Karajan n'avait jamais dirigé ce concerto? Personne ne semble savoir pourquoi, pas même son producteur de disques, Michel Glotz, à qui j'ai posé la question. J'ai été abasourdi d'apprendre cela.

G.N. Revenons à l'Orchestre symphonique de Montréal. Ce que j'aimerais savoir à présent, c'est comment vous travaillez avec les musiciens.

203

C.D. Un directeur artistique est responsable de la qualité de son orchestre. En conséquence, pour que mes chefs d'orchestre invités puissent avoir du plaisir à jouer avec nous, il faut que nous soyons bien entraînés, bien polis, que l'instrument soit beau. Pour arriver à cela, nous sommes obligés de travailler chaque jour, comme un virtuose travaille son piano.

G.N. Oui, mais je sais comment un pianiste travaille. Je sais qu'il joue les pièces à double vitesse pour augmenter son assurance, ou bien qu'il travaille seulement les passages difficiles, ou qu'il se contente simplement de faire de la musique.

Ce que je voudrais savoir, c'est en quoi consiste le travail de l'orchestre en tant qu'instrument.

C.D. Tout d'abord, il faut que chaque musicien prenne conscience du niveau à atteindre et je dois dire qu'en cela le disque nous a beaucoup aidés, car ce niveau a été établi dès le premier disque et est ainsi devenu une référence. Il se peut que certains musiciens n'aient pas compris immédiatement à quel niveau ils allaient être exposés internationalement mais, dès les premiers succès, ce fut chose faite et aujourd'hui, chacun d'entre eux vit pleinement à la hauteur du défi que nous affrontons constamment. Dans les premiers temps, le travail a été très dur parce que son rythme était inaccoutumé.

G.N. Que voulez-vous dire?

C.D. Je veux dire que les musiciens ont dû accorder une attention plus importante que par le passé aux problèmes dont nous venons de parler: équilibre, sécurité rythmique, ensemble, justesse, style et homogénéité sonore, sans oublier bien sûr d'autres problèmes purement musicaux. Nous travaillons énormément, avec les cordes en particulier, afin d'obtenir une bonne homogénéité. Pour cela, il faut que tous les pupitres jouent avec la même intensité afin d'atteindre à une sonorité pleine et riche.

À l'Orchestre philharmonique de Berlin, les premiers violons jouent tous comme des solistes; il n'y a pour ainsi dire aucune différence d'un pupitre à l'autre. Ils jouent avec une telle intensité qu'ils ont une sonorité extraordinaire et sont, dans leur répertoire, pratiquement insurpassables. Sans parler de la qualité de la salle elle-même, dans laquelle tous les musiciens s'entendent parfaitement et qui a été, à beaucoup d'égards, une révélation pour les membres de l'OSM lorsqu'ils s'y produisirent en 1984.

À Montréal, il ne se passe pas un jour sans que nous ne parlions de la beauté du son, de l'homogénéité et du style, et nous cherchons ensemble comment les obtenir, quelle partie de l'archet ou quel doigté employer pour éviter un changement de corde qui provoque une rupture dans la sonorité. Lorsque les premiers et les seconds violons jouent ensemble en octave, nous nous assurons que ces derniers — et il faut le répéter toujours — jouent d'une manière plus riche que les premiers, de façon à produire une sonorité plus onctueuse et plus épanouie.

Enfin, mille choses de cet ordre, mais là, je vous raconte un peu les trucs du métier.

G.N. C'est précisément ce que je veux entendre.

C.D. Ensuite, j'ai beaucoup travaillé avec la section de percussion qui, dans l'orchestre, est un ensemble très important. C'est très difficile d'être percussionniste, contrairement à ce que l'on pense. Jouer du triangle, du tambour de basque ou des castagnettes est extrêmement complexe, pas tellement parce que l'exécutant doit jouer des millions de notes comme le font les premiers violons, mais parce que tout ce qu'il fait doit être jugé avec des degrés d'intensité très subtils. Avec le répertoire de nos premiers disques consacrés à de la musique française et russe, la section de percussion de l'OSM est devenue très sophistiquée. Elle est capable de maîtriser la chimie sonore la plus délicate et de jouer de la manière la plus brillante qui soit sans jamais devenir bruyante. C'est peut-être une des sections les meilleures et les plus sensibles au monde à ce point de vue. Dans les orchestres de deuxième ou de troisième ordre, les cymbales et les grosses caisses jouent comme celles d'une fanfare, d'une harmonie militaire, et n'ont souvent aucune idée de la différence de gradation. Ce peut être le cas dans des sections de percussion d'orchestres plus importants qui sont mal travaillées. J'ai moi-même étudié la percussion et de ce fait ai toujours eu un excellent rapport avec mes percussionnistes. Mais le travail est aussi intense dans toutes les autres sections de l'orchestre, grâce à des chefs de pupitre qui sont des artistes accomplis. Nos bois et nos cuivres sont extraordinaires et sont composés de solistes qui comptent parmi les meilleurs en Amérique du Nord.

Un renouvellement considérable s'est fait dans tout l'orchestre au cours de ces dernières années et, en particulier dans les cordes, nous engageons continuellement de nouveaux et souvent très jeunes musiciens qui doivent s'ajuster rapidement à la discipline et au style de l'orchestre. Je suis convaincu que nous pourrons, dans un temps rapproché, jouir pleinement de la maturité que, sans nul doute, l'orchestre ne peut manquer d'acquérir.

Sans toute la bonne volonté, l'enthousiasme et l'ambition de ces jeunes artistes, l'OSM n'occuperait pas aujourd'hui la place qu'il occupe dans le monde.

G.N. Il suffit d'écouter *Daphnis* pour voir le travail qui a été accompli depuis cinq ans.

C.D. Oui. Et nous irons de plus en plus loin car les musiciens sont de plus en plus conscients de leurs responsabilités. Chaque oeuvre, même si elle est au répertoire de l'OSM, est retravaillée à fond avant chaque nouvelle exécution.

G.N. Le répertoire s'est-il élargi?

C.D. Savez-vous que j'ai dirigé en huit saisons complètes avec l'OSM 680 oeuvres différentes de 171 compositeurs? La vie musicale aujourd'hui, en Amérique du Nord en particulier, a tellement évolué qu'un directeur musical doit avoir une connaissance d'un répertoire musical plus vaste que par le passé, donc, par définition, moins spécialisé. Furtwängler ou Bruno Walter nous ont laissé un héritage artistique extrêmement important du point de vue de la substance et relativement restreint du point de vue de la variété et de la quantité. Ces deux chefs d'orchestre sont connus aujourd'hui par les disques qu'ils nous ont laissés où ils jouent de la musique de leur temps, de leur jeunesse. Il est vrai que Furtwängler a dirigé autre chose: Bartok, Ravel, Berlioz...

G.N. *La Damnation de Faust*.

C.D. Oui, et même si cette oeuvre occupe une place moins importante que le reste dans son testament musical, il l'a faite. Il me semble que je vois Furtwängler diriger *Les Valses nobles et sentimentales*, qui est sans doute l'oeuvre française la plus sophistiquée et la plus éloignée de toutes les préoccupations qu'il pouvait avoir. Je peux comprendre qu'on fasse *Daphnis* ou *La Mer*, mais *Les Valses nobles* est vraiment une oeuvre par trop éthérée! Il y a des enregistrements de Furtwängler que je trouvais superbes à l'époque et que je trouve aujourd'hui plus difficiles à écouter. Notre sensibilité change avec nos goûts et la vitesse de notre perception. Et c'est pour cela que les critères d'interprétation varient. Et là, nous touchons un point qui me semble intéressant parce que cette mobilité prodigieuse, qui va de pair avec les changements de la société, se heurte à la fixation de l'enregistrement. Cette dernière est dangereuse parce qu'on atteint aujourd'hui à une espèce d'universalité d'interprétation à laquelle on a accès par les disques. Et ces disques, les critiques musicaux vont en faire des points de référence. Ainsi, ils vont décider que *La Première Symphonie* de Mahler, c'est Bruno Walter, que *La Symphonie fantastique*, c'est Munch, que *Zarathoustra*, c'est Clemens Kraus... Tout cela est cousu de fil blanc.

Revenons un instant à Bach et au problème de l'interprétation pur et simple, à Bach qui n'a été joué, après sa mort, qu'en 1840, lorsque Mendelssohn l'a exhumé et a dirigé *La Passion selon saint Matthieu*. Ensuite, von Bulow, Nikisch et Mengelberg, mais aussi plus tard Munchinger, Richter et Harnoncourt ont tous lu la même partition, le manuscrit, et pourtant leurs exécutions n'ont souvent rien en commun. C'est que la partition est une abstraction et que, même si le compositeur dispose de milliers de signes différents pour exprimer sa pensée, tout ne peut être écrit. Alors l'interprète, le musicien le plus cultivé, le mieux préparé et le plus intelligent ne peut qu'aller le plus loin possible dans la recherche et la découverte de la signification de tous ces signes qu'il va essayer de mettre en oeuvre. Même aujourd'hui, alors que la précision de la notation a fait de grands progrès, les compositeurs sont souvent en flagrante contradiction avec eux-mêmes lorsqu'ils sont leur propre interprète.

G.N. Stravinski, lui, affirmait qu'il avait tout indiqué dans la partition et qu'il n'y avait rien de plus. Il prétendait qu'il suffisait de jouer ce qu'il avait écrit et que cela suffisait.

208

C.D. Oui, mais pris en flagrant délit de contradiction entre ses partitions et ses propres exécutions, il a ajouté que ses disques étaient *la* référence. Forcément, il ne pouvait pas dire autre chose.

La signification même de la musique, le message musical change aussi avec le temps. Vous savez, lorsque j'étais jeune, on ne connaissait Beethoven qu'à travers l'image qu'en donnaient les vies romancées qui étaient à la mode à l'époque, qui le présentaient comme un artiste torturé, un homme profondément malheureux, solitaire, tourmenté. Tout cela n'était pas nécessairement faux, mais ces portraits accordaient une place trop importante à l'aspect sentimental de la vie de l'artiste, et cela ne pouvait que nuire à l'essentiel: l'oeuvre. Mais la littérature musicale a changé. Les biographies contemporaines, sans éviter de rendre compte de la vie privée des artistes, le font d'une manière moins dramatisée et laissent une place plus importante aux préoccupations musicologiques.

G.N. Revenons à l'OSM. Parlons de la salle Wilfrid-Pelletier.

C.D. Les cordes ne pourront malheureusement jamais être meilleures dans cette salle.

Comme nous le disions tout à l'heure, les instrumentistes à cordes, à mon arrivée à Montréal, sachant qu'ils n'étaient pas entendus, avaient tendance à forcer le son, ce qui produisait un effet contraire au but recherché. Plus on force un instrument à cordes, moins le son projette. Il a fallu plusieurs mois pour que les violonistes acquièrent la confiance nécessaire qui allait leur permettre de jouer d'une manière plus détendue.

Étiez-vous à Boston lorsque l'OSM s'y est produit ce printemps dernier?

G.N. J'y étais.

C.D. Avez-vous entendu sonner les cordes? C'était extraordinaire. Voilà, à mon sens, la salle de concert idéale.
Bâtie sur les plans du fameux Musikverein Saal de
Vienne, qui est sans doute la meilleure salle de concert au monde, elle a contribué à former le son de
l'Orchestre symphonique de Boston, tant il est vrai
qu'un orchestre et sa salle de concert ne font qu'un.
Comme je l'ai dit à maintes reprises, la salle Wilfrid-
Pelletier n'est pas une salle de concert; c'est une salle
de spectacle, et rien n'a été pensé à priori lors de sa
construction pour qu'un orchestre symphonique y
sonne bien. La sonorité des cordes se perd dans les lo-
sanges du plafond, tandis que les instruments plus di-
rectionnels, tels les cuivres, passent directement par-
dessus les cordes, créant de ce fait des problèmes dé-
plorables d'équilibre sonore. L'un des problèmes majeurs — que nous ne pourrons certainement jamais résoudre — concerne non seulement la quantité mais
aussi la qualité du son des cordes, qui ne peuvent pui-
ser aucune chaleur dans cet environnement. Il nous
est d'autant plus facile d'en parler aujourd'hui, mes
musiciens et moi-même, que nous avons joué dans la
plupart des grandes salles européennes et américaines.
Nous éprouvons, à chaque retour de tournée, le même
malaise. Je me souviens en particulier du premier concert à Montréal, immédiatement après notre tournée
européenne en 84, au cours duquel nous jouions la
Deuxième Symphonie de Brahms. Nous nous regar-
dions tous, ahuris, impuissants devant la pauvreté de
son de nos cordes. Le contraste avec la Philharmonie
de Berlin, où nous avions joué quelques jours auparavant avec un plaisir infini, était par trop brutal.
Il est vrai qu'en 1963 la Place des Arts était un immense progrès pour l'OSM, qui n'avait joué jusque-là qu'à
la salle du Plateau. Mais aujourd'hui, vingt-cinq ans
plus tard, Montréal est une ville plus importante qui se

doit d'avoir un équipement culturel approprié, notamment en ce qui concerne son orchestre, car celui-ci est devenu, d'un ensemble de province qu'il était, une des phalanges les plus prestigieuses au monde. Il n'est point d'orchestre de ce niveau qui n'ait sa propre salle. Il est difficile d'imaginer l'Orchestre de Boston, l'Orchestre philharmonique de Berlin ou le Concert-Gebouw d'Amsterdam répétant dans une salle de 120 mètres carrés! Je pense que le succès spectaculaire de l'OSM dans le monde au cours de ces dernières années a donné beaucoup de lustre et de prestige, non seulement à Montréal mais à toute la province de Québec et même au Canada, et que ce prestige exige que l'orchestre ait enfin sa propre salle. Alors, il atteindra son plein développement.

G.N. Je suis entièrement d'accord avec vous. L'environnement sonore est un élément essentiel. Il est bien évident que l'Orchestre de Boston n'aurait pas la sonorité qu'il a s'il n'avait pas sa salle. Et on peut en dire autant de Philadelphie, de Berlin et de Vienne. Mais revenons à Stravinski, dont la musique jalonne votre carrière. Pourrait-on dire que l'attachement que vous éprouvez pour sa musique est inconditionnel?

C.D. Je ne peux pas dire cela, car sa musique ne m'apporte plus aujourd'hui les mêmes nourritures que lorsque j'étais plus jeune.

G.N. Pourquoi Stravinski?

C.D. Parce que j'étais arrivé, en étudiant l'*Histoire du soldat*, à vaincre certains problèmes techniques de direction d'orchestre. C'est une musique dans laquelle j'étais parfaitement à l'aise.

Ansermet avait créé cette oeuvre au Théâtre municipal de Lausanne en 1918. Pour nous, en terre romande, l'*Histoire du soldat* a une signification particulière,

211

non seulement parce que le texte, bien que basé sur un vieux conte russe, a été écrit par notre plus grand poète, Charles Ferdinand Ramuz, mais parce que la musique a été composée à la fin de la Première Guerre mondiale, à Morges, où s'était réfugié Stravinski à l'aube de la révolution russe.

Entre Denges et Denezy, un soldat qui rentr' chez lui... Les deux villages cités dans cette première phrase de l'*Histoire du soldat* se trouvent précisément à quelques kilomètres de Morges, mais aussi à quelques kilomètres de l'endroit où j'ai vécu toute mon enfance et mon adolescence et où se trouve encore ma maison. J'ai toujours aimé penser à Stravinski et à Ramuz buvant trois décis de vin blanc dans une pinte, là-haut, dans les vignobles de Lavaux. J'aime le côté terrien si typique du poème de Ramuz et la prodigieuse richesse de la musique de Stravinski qui, musicien russe, écrit là, avec une virtuosité incroyable, un ensemble de danses et de marches hétéroclites (marche vaudoise, tango argentin, ragtime américain, valse viennoise et même un choral protestant au moment où tombe la morale de l'histoire) qui pourtant constituent un ensemble d'une unité de style absolument confondante. Vraiment, il s'agit là d'un chef-d'oeuvre exceptionnel.

Je me souviens qu'au début j'avais une peine énorme à diriger ces mesures inégales à cinq et à sept temps que mon professeur de direction s'évertuait à m'enseigner. Ce n'est qu'après avoir étudié minutieusement la partie de percussion sur des chaises et des tabourets que j'ai trouvé des solutions personnelles concernant la battue de ces rythmes, solutions que, par ailleurs, mon professeur n'approuvait pas. Par contre, les musiciens qui constituaient le petit ensemble de ces cours de direction m'encourageaient à persister dans cette voie qu'ils trouvaient, eux, claire et convaincante. Ce faisant, j'ai probablement percé un des secrets de la technique de direction d'orchestre en dirigeant ces rythmes de danses, physiquement et non intellectuellement. Par la suite, alors que je cherchais par tous les moyens des occasions de progresser en tant que chef d'orchestre, et, ayant compris que, du point de vue de la battue, je n'apprendrais pas grand-chose en dirigeant des concertos de Vivaldi, je suis arrivé à persuader quelques amis du conservatoire de nous réunir afin d'étudier quelques oeuvres modernes. C'est ainsi que nous avons travaillé quelques Stravinski, tels *Renard, Ragtime*, mais aussi les *Noces*, ainsi que des oeuvres d'autres compositeurs écrites pour une formation réduite dont *Le Retable de Maître Pierre* et le *Concerto pour clavecin* de Manuel de Falla.

La musique de Stravinski exerçait sur moi une fascination indescriptible. Je n'avais qu'un voeu, c'était d'avoir un jour et le plus tôt possible l'occasion de diriger son grand chef-d'oeuvre, *Le Sacre du printemps*, que déjà je travaillais assidûment. Par la suite, il était naturel que mes premiers disques fussent consacrés à ce compositeur. C'est ainsi que sortit, en 1970, l'*Histoire du soldat* et, plus tard, les *Noces, Renard, Pulcinella, Apollon musagète, Petrouchka*, les deux symphonies et, plus récemment, avec l'OSM, *Le Sacre du printemps* et le ballet complet de *L'Oiseau de feu*.

J'ai aujourd'hui dirigé à peu près tout l'oeuvre de Stravinski, et, bien que la fascination des premiers jours se soit un peu atténuée, je reste un de ses plus fidèles interprètes. Cependant, malgré l'engouement que j'ai toujours éprouvé pour cette musique, celle-ci n'a pas comblé tous mes besoins spirituels. C'est chez Bach, Mozart, Beethoven, Mahler que j'ai trouvé cette nourriture. Il est inutile de chercher, dans la musique de Stravinski, ce qu'il n'y a pas. Stravinski était un homme concret, un artisan qui se fixait des problèmes à résoudre. Il a bien composé des oeuvres qui ont une réelle dimension spirituelle, comme la *Symphonie des Psaumes*, et quelques autres oeuvres plus tardives basées également sur des textes religieux, mais il n'en reste pas moins que Stravinski a commencé par être un compositeur de ballet et que cette forme musicale a jalonné toute sa carrière.

G.N. Que voulez-vous dire avec: «La musique de Stravinski n'a pas comblé tous mes besoins spirituels?»

C.D. Je veux dire qu'il y a une différence entre une oeuvre de Stravinski et une oeuvre de Bach, de Mozart ou de Beethoven, car on ne trouve pas, chez lui, cette puissance, cette dimension métaphysique qui transcendent l'homme et sa condition.

G.N. Stravinski devait se plier à des besoins scéniques; il était soumis à certaines contingences.

C.D. C'est cela même. Un jeune homme de vingt-six ans qui écrit de la musique pour les Ballets russes, à Paris, dans cette époque étourdissante, ne peut pas être dans le même état d'esprit que Beethoven à la fin de sa vie —dans un état de surdité totale, ayant atteint une sérénité qui laisse supposer qu'il était arrivé à répondre aux questions qu'il s'était posées pendant toute son existence— lorsqu'il écrivait l'*adagio* de sa *Neuvième Symphonie*.

G.N. Et ce défi que vous vous étiez donné de diriger *Le Sacre* avant trente ans?

C.D. Oui, c'était un défi, mais il ne faut tout de même pas en exagérer la portée. Il est exact que je m'étais mis cela en tête. Vous savez, j'étais un chef d'orchestre plutôt précoce; j'avais terminé mes études en 58 et j'allais avoir vingt-deux ans. Il ne faut pas oublier que j'avais commencé la musique à peine dix ans plus tôt, et qu'il n'y avait aucunes racines musicales dans ma famille. C'est probablement la raison pour laquelle je me suis fait remarquer assez rapidement.

Je me sentais particulièrement à l'aise avec les oeuvres de Stravinski car j'avais acquis très tôt l'expérience de cette musique. À la fin des années 50, *Le Sacre* était encore, pour la plupart des orchestres, une oeuvre problématique. (Karajan ne l'a d'ailleurs dirigé pour la première fois qu'en 64, c'est tout dire.) Alors qu'on peut mesurer les progrès accomplis dans ce domaine par les orchestres qui sont, pour la plupart, capables de maîtriser cette partition en deux ou trois répétitions. Je me sentais prêt à diriger *Le Sacre* et je l'ai fait, ainsi que je l'avais décidé, avant d'atteindre trente ans. Karajan, dont la carrière avait commencé à l'opéra, avait été pendant dix ou quinze ans, comme chacun sait, chef d'orchestre aux opéras d'Ulm et d'Aix-La-Chapelle, et cette formation le préparait moins qu'un autre à diriger la partition du *Sacre*, alors que j'avais été élevé en Suisse romande où la tradition de l'opéra était beaucoup moins importante que dans les pays germaniques.

G.N. Quelle place l'opéra a-t-il occupé dans votre formation? Et quelles sont les formes les plus importantes qui en ont fait partie?

C.D. Lorsque j'étais étudiant à Genève, j'avais un ami, Claude Bertera, dont le père était un des membres du conseil d'administration du Grand Théâtre de cette ville. Il avait toujours, de ce fait, quelques billets à sa disposition et m'invitait constamment à assister aux représentations. J'ai vu ainsi un nombre incroyable d'opéras, mais je ne peux néanmoins dire que l'opéra ait été en soi à la base de ma culture musicale. Le chant, par contre, en faisait partie. J'ai toujours aimé chanter dans les choeurs et j'ai même eu l'occasion de faire partie des choeurs du *Barbier de Séville*, au Théâtre municipal de Lausanne, sous la direction d'Otto Ackerman, un grand chef. Par la suite, comme vous le savez, j'ai dirigé à peu près tout le répertoire d'oratorios. La vie chorale, en Suisse romande, avait une importance égale à l'opéra en Suisse alémanique. C'est ainsi que nous nous cultivions, en faisant de la musique sous toutes ses formes. Aujourd'hui, les gens écoutent les disques; autrefois, ils chantaient dans des choeurs ou apprenaient à connaître le répertoire symphonique par des transcriptions pour piano à quatre mains. Mais tous les gens cultivés, d'une manière ou d'une autre, faisaient un peu de musique.

G.N. Charles Dutoit, les interprètes et les critiques musicaux s'accordent à dire que vous êtes probablement l'un des plus grands accompagnateurs. Qu'est-ce qui fait qu'un chef, aussi bon soit-il, n'arrive pas toujours à cette communion indispensable avec le soliste?

C.D. C'est vrai que, lorsque j'étais à Berne déjà, les solistes qui nous rendaient visite étaient étonnés de la qualité de l'accompagnement que nous leur donnions. Ils étaient probablement plus impressionnés encore à cause de mon jeune âge et parce que l'orchestre était celui d'une ville relativement modeste.

Mais à Montréal, les solistes s'attendent évidemment à bénéficier d'un accompagnement qui soit à la hauteur de la réputation de l'orchestre.

Pour répondre au deuxième volet de votre question, il est vrai qu'il existe de grands chefs d'orchestre qui sont de piètres accompagnateurs. De bien accompagner est un don particulier que je suis heureux de posséder. Je connais plusieurs grands musiciens qui ne le possèdent pas et, à l'opposé, un certain nombre de musiciens assez moyens qui sont de très brillants accompagnateurs. Le secret d'un bon accompagnement réside non

216

seulement dans une perception très rapide du jeu du soliste mais surtout dans l'art de devancer ses intentions.

J'aimerais vous raconter une petite anecdote à ce sujet. Je n'ai eu qu'une seule fois dans ma vie le privilège d'accompagner Arthur Rubinstein. C'était au Grand Théâtre de Genève lors d'un concert de bienfaisance, dans lequel ce grand artiste jouait deux concertos: le *Quatrième* de Beethoven et, après la pause, le *Deuxième* de Brahms. Peut-être savez-vous que les concertos de Beethoven posent au chef d'orchestre un problème qui, bien que peu complexe, est néanmoins suffisamment délicat pour rendre celui-ci passablement nerveux. Il s'agit, dans certaines cadences courtes, de faire entrer l'orchestre précisément à la fin d'une longue gamme de quatre ou cinq octaves. Or, chaque soliste jouant ses gammes avec une vélocité différente, le chef d'orchestre peut difficilement prévoir à quel moment donner ce signe préparatoire, appelé une levée, qui doit faire tomber l'orchestre pile sur la dernière note de cette gamme.

Lors de la répétition du concert, j'ai eu la chance de tomber juste du premier coup sans en avoir parlé au préalable avec Arthur Rubinstein. Cette entrée fut tellement précise qu'il m'en félicita. Je lui dis alors: «Maestro, ne faites jamais un compliment à un chef lors d'une répétition, attendez que le concert soit fini!» Eh bien, c'est peut-être la seule fois de ma vie où j'ai été nerveux au point de rater systématiquement les deux entrées!

Après l'exécution du *Deuxième Concerto* de Brahms, à l'occasion d'une réception organisée par la ville de Genève, Rubinstein, qui se trouvait à l'autre bout de la table et qui s'ennuyait visiblement, me dit à voix suffisamment haute pour que tout le monde l'entende: «Dans le fond, Charles, ce concerto de Brahms, nous le sentons de la même manière.» Grand silence dans l'assemblée. Le maître s'adressait au jeune chef dans des termes élogieux... Et il continua ainsi: «Peut-être bien que nous nous trompons tous les deux!» Sa boutade fut accueillie par un éclat de rire général.

J'ai toujours eu beaucoup de respect pour les solistes et j'aime faire de la musique avec eux. Accompagner un grand soliste est au fond une chose facile; ils m'ont beaucoup appris et je me suis toujours fait un point d'honneur d'être à la hauteur.

G.N. Quelles seraient les limites que vous vous reconnaîtriez à ce moment de votre carrière? Autrement dit, quelles sont vos futures étapes, comment voyez-vous votre évolution et le développement de cette carrière?

C.D. J'ai eu, au cours de ces vingt-cinq dernières années, l'occasion de diriger à peu près tout le répertoire symphonique. Mais celui-ci est inépuisable, et il y a quelques compositeurs que j'ai un peu négligés. Parmi eux, Chostakovitch. Au début de ma carrière, j'étais très peu attiré par ces immenses symphonies, ces longs monologues, cette tristesse, mais aussi cette trivialité. Ce n'est qu'en 1976 que j'ai dirigé pour la première fois une oeuvre de ce compositeur, la *Treizième Symphonie*, *Babi Yar*, que j'ai dirigée à Montréal et à Carnegie Hall en 1984. J'étais allé, durant l'été 1984, à Leningrad avec mon épouse et nous avions fait le voyage jusqu'à Kiev pour aller visiter les lieux de la tragédie racontée par cette oeuvre*. Lors du concert à Carnegie Hall, le public, qui était certainement, de près ou de loin, concerné par cet événement, se montra extraordinairement réceptif et la tension dans

---

* Le massacre, en septembre 1941, par les troupes nazies, de plus de cinquante mille Juifs et Ukrainiens dans un ravin à l'ouest de Kiev. (G.N.)

la salle, pendant l'exécution, atteignit un paroxysme. Le succès de ce concert nous émut tout particulièrement. Quelques mois plus tard, je dirigeais la même oeuvre au Festival de Berlin, à la tête de l'Orchestre philharmonique. L'atmosphère de la salle était au malaise, et les critiques qui parurent à la suite du concert se montrèrent étrangement laconiques. Pas un mot sur le massacre de Kiev. Peu de temps après, je reçus de cette même ville, non pas les critiques des journaux, mais des coupures de presse qui étaient en fait des lettres ouvertes aux journalistes qui avaient escamoté, dans leurs articles, la vérité historique de l'oeuvre.

J'ai dirigé depuis, à plusieurs reprises, les *Huitième, Dixième, Quatorzième* et *Quinzième Symphonies* de Choskatovitch et mon voeu le plus cher serait de faire l'intégrale des quinze symphonies à Montréal.

Mais il y a d'autres compositeurs que j'aimerais jouer un peu plus systématiquement. Sibelius par exemple, dont je n'ai dirigé que trois des sept symphonies (ce qui est assez curieux étant donné que j'ai travaillé pendant presque quatre ans en Scandinavie) et Dvorak qui, malgré les inégalités de sa production, reste le plus grand compositeur tchèque. Comme beaucoup de mes collègues, mon attention ne s'est portée jusqu'ici qu'à ses trois dernières symphonies. J'aurais certainement un très grand plaisir à exécuter les six autres, ainsi que les quatre ou cinq poèmes symphoniques de sa dernière période, qui contiennent quelques pages sublimes.

Mais il y a naturellement aussi Wagner avec lequel j'ai toujours eu une relation ambiguë.

Lorsque j'avais dix-huit ans, je n'écoutais que sa musique. J'ai entendu, imaginez, tous ses opéras en français à l'Opéra de Paris. J'étais assis de la manière la plus inconfortable qui soit, au poulailler, d'où je contemplais ces productions souvent poussiéreuses dont la musique, dirigée le plus souvent par Georges Sébastian, me fascinait. C'était l'époque où je détestais Debussy et où je n'arrivais même pas à comprendre comment on pouvait aimer cette musique. Par la suite, tout en restant subjugué par le poison du chromatisme wagnérien, j'en vins à apprécier la retenue et l'économie de moyens du drame de Debussy, *Pelléas et Mélisande*. Je n'ai jamais dirigé un opéra de Wagner dans la fosse d'orchestre, mais j'ai souvent mis à mon programme tous les extraits symphoniques possibles et souvent même des actes entiers de ses opéras en version de concert. Je voudrais, dans un proche avenir, monter la version originale sans entracte du *Vaisseau Fantôme*, et la présenter ensuite à Carnegie Hall.

Mais il y a bien sûr *Tristan*, l'opéra le plus génial de tout le répertoire. Je l'étudie depuis des années, mais je voudrais, avant de le diriger, prendre une année sabbatique de manière à me plonger, exclusivement, dans cette oeuvre.

De Mahler, j'ai dirigé au cours des ans toutes les symphonies, sauf la reconstitution de Cook de la *Dixième*. Je n'ai pas besoin de vous dire la place énorme que Mahler a prise dans ma vie de musicien depuis 1960 lorsque, après cinquante ans de purgatoire, l'intégrale des symphonies a été peu à peu connue dans le monde entier.

G.N. Pourquoi occupe-t-il cette place énorme?

C.D. Parce qu'il est le compositeur le plus courageux et le plus prophétique de son époque. Mahler a vécu à une époque où tout était en gestation, dans cette Vienne de penseurs et de philosophes qui étaient en train de transformer la société. Il a fallu attendre cinquante ans pour que sa musique s'impose et, curieusement, ce fut après la guerre. C'est alors qu'il a trouvé son temps. Il l'avait d'ailleurs dit: «Mon temps viendra!»

Il a saisi l'essence même du folklore bohémien, de Vienne et de toute la musique de l'Europe centrale, avec ses *ländlers*, ses danses, cette obsession des marches militaires. Et tout cela dans une prodigieuse orchestration.

Mon voeu le plus cher serait de pouvoir diriger le cycle de ses symphonies à l'intérieur d'une période condensée, dans le cadre d'un festival par exemple. De même que pour *Tristan*, il me semble important de vivre exclusivement et pendant un certain temps avec ce compositeur.

G.N. Et Bruckner?

C.D. Bruckner n'a pas joué un rôle prépondérant dans mon évolution musicale, comme il l'a fait dans celle de mon ami Daniel Barenboim, par exemple. Daniel m'a dit un jour qu'il ne pouvait se passer une saison musicale sans qu'il dirigeât une symphonie de ce compositeur. J'admire Bruckner, comme j'admire la grande église d'Ottobeuren en Bavière. Certaines de ses pages, surtout dans les mouvements lents, sont parmi les plus sublimes de l'histoire de la musique. Mais je suis moins sensible, par contre, à l'académisme de ses formes. Et même s'il a développé et élargi la forme sonate, il n'a pas eu le génie des plus grands qui, en créant leur langage, ont créé leur forme propre, comme Mahler, Debussy et Webern, mais aussi Proust, Musil et Dostoïevski en littérature.

G.N. Une dernière question, Charles Dutoit. Décrivez-moi les qualités que doit avoir un chef d'orchestre, son personnage... Comment devient-on chef d'orchestre?

C.D. Beaucoup d'amateurs de musique sont fascinés par le personnage du chef d'orchestre sans comprendre exactement son rôle. J'ai même quelques amis — et ils ne sont certainement pas les seuls — qui chez eux, en secret, brandissent une baguette et se regardent diriger dans un miroir, ravis de voir leurs bras et leur corps se mouvoir au rythme de la musique. Ils sont habités par un sentiment de puissance et s'imaginent que celle-ci s'exerce, en scène, sur une centaine de musiciens. De quoi est fait cet attrait irrésistible, ils seraient probablement bien en peine de l'expliquer, mais il existe néanmoins.

Que signifie être chef d'orchestre? Ou plutôt, quelles qualités faut-il avoir pour le devenir?

Tout d'abord, il faut, bien sûr, avoir l'esprit de commandement, mais pas dans le sens militaire. Le chef d'orchestre ne commande pas à des soldats mais à des musiciens, qui sont des gens raffinés. Il faut donc qu'il sache faire respecter une certaine autorité. Mais celle-ci doit être naturelle, il est impossible de la fabriquer artificiellement. Elle va permettre au chef de faire respecter ses idées, à condition bien entendu qu'il ait les qualités psychologiques et pédagogiques nécessaires pour s'adresser à des musiciens qui connaissent leur métier aussi bien qu'il connaît le sien, et parfois mieux pourrait-on dire. L'autorité est donc un des éléments les plus fondamentaux dans la direction d'orchestre, avec la présence. Qu'est-ce que la présence? Une chose mystérieuse et bien difficile à définir, mais absolument indispensable. On raconte que lorsque Jean-Louis Barrault faisait passer des auditions à des comédiens, il leur demandait d'entrer côté cour, de s'arrêter au milieu de la scène, sans dire un mot, et de sortir côté jardin. Il pouvait reconnaître immédiatement ceux qui avaient de la présence et ceux qui n'en avaient pas. Cette présence, si on la possède, peut évidemment être développée, mais il est tout à fait impossible de l'acquérir si on en est dépourvu.

Outre l'autorité et la présence, le chef d'orchestre doit bien évidemment posséder les connaissances théoriques qui vont lui permettre de maîtriser une partition d'orchestre au premier degré, connaissances théoriques qui devront être renforcées par une longue pratique du métier, afin de pouvoir procéder à la mise en oeuvre. Le chef ne transmet pas seulement ses idées musicales par des explications verbales, mais par le truchement de gestes. Ces explications peuvent éventuellement être données au cours des répétitions, mais, au concert, les seuls moyens qu'il a à sa disposition sont les gestes qui vont inviter, inspirer — ou déranger — les musiciens. La gestique est un des facteurs déterminants dans la direction d'orchestre et elle n'est enseignée dans aucune école. Chaque chef a sa propre gestique, qui est partie intrinsèque de sa personnalité. Même s'il est un peu gauche, il faut qu'il puisse exprimer de quelle manière il veut que la musique soit interprétée, et il faut qu'il le fasse avec son corps, ses mains et l'expression de son visage. Lorsque cent musiciens doivent attaquer en même temps, cette attaque sera d'autant plus nette que le geste de son chef sera clair et précis. Mais on ne peut faire de ce précepte une généralité. Furtwängler, par exemple, avait une direction qui était la moins précise au monde. Personne, dans l'orchestre, ne savait exactement quand commencer. Et c'est précisément à cause de ce flottement qu'il y avait une telle tension dans ses départs; en créant cette attente, il libérait une énergie fabuleuse. C'est la différence entre le livre d'école et le génie. Des exemples comme celui que je viens de citer illustrent au fond beaucoup mieux la personnalité du chef qu'ils ne nous informent au sujet de la technique de direction. Ainsi, j'expliquais plus haut que, mon professeur n'arrivant pas à m'apprendre à diriger des mesures inégales à cinq temps, j'ai dû trouver des solutions personnelles qui convenaient mieux à mon langage personnel. Il est clair que la technique elle-même est très difficile à communiquer, et j'ai connu des maîtres, comme Ansermet par exemple, qui ont toujours refusé de donner des leçons; en dehors des diagrammes de base, il estimait qu'il n'y avait rien à enseigner. Seule compte l'expérience.

Celle-ci joue un rôle prépondérant dans la direction d'orchestre, et l'étude de ce métier, du point de vue théorique, doit au moins durer une dizaine d'années, auxquelles doit s'ajouter une autre décennie de pratique qui va permettre au chef de saisir la multiplicité des problèmes inhérents à sa profession.

La connaissance pratique et approfondie d'au moins un ou deux instruments de l'orchestre est essentielle. Savoir jouer d'un de ces instruments, en particulier s'il s'agit d'un instrument à cordes, donne un avantage appréciable car soixante pour cent de l'orchestre est composé par les cordes; les musiciens savent d'ailleurs, au premier coup d'oeil, si l'instrument dont ils jouent est familier au chef ou non. Mais il est indispensable également de connaître tous les autres. Par ailleurs, si un chef désire faire de l'opéra, il lui sera nécessaire de connaître le piano car la filière traditionnelle, lorsqu'on veut diriger de l'opéra, est d'être répétiteur. Je suis personnellement assez opposé à l'emploi du piano dans l'étude des partitions symphoniques et préfère encourager les jeunes chefs à travailler dans le silence, à leur table, ce qui va leur permettre de développer leur imagination, de se rapprocher de cet univers sonore dans lequel ils vont vivre aux répétitions. Bien entendu, une profonde connaissance de la théorie musicale complète incluant un solfège infaillible, l'harmonie, le contrepoint, l'analyse des formes, l'orchestration et la composition est indispensable. Mais au-delà de la théorie, la chose la plus importante pour le chef est la qualité de son oreille qui, non seulement va lui permettre de dépister les fautes qui se produisent pendant les répétitions et le concert, mais également de juger avec la plus grande subtilité de l'équilibre des accords et de la justesse générale de l'orchestre.

J'ai eu personnellement la chance d'apprendre mon métier dans des conditions idéales. En jouant du violon pendant huit ans dans différents orchestres, j'ai emmagasiné, en observant les différents chefs invités, entre autres choses, une foule de renseignements essentiels sur l'art de la répétition. Par la suite, j'ai appris énormément de choses concernant la respiration musicale en dirigeant des choeurs et des chanteurs pendant de nombreuses années. Les rouages de mon métier me sont devenus familiers ensuite grâce à la direction d'orchestre, que j'ai pratiquée, au début, dans des villes pas trop exposées. Musique symphonique, musique de chambre, ballets, oratorios, opéras, aucun de ces secteurs ne m'est resté étranger.

Je voudrais ajouter qu'une solide culture générale est essentielle au développement du métier de chef d'orchestre. La compréhension sérieuse d'une oeuvre, quelle qu'elle soit, doit être liée au contexte socio-politique dans lequel elle a vu le jour. Peut-on comprendre vraiment Schumann si on ignore tout de la poésie allemande et des circonstances politiques qui ont précédé le romantisme allemand? Comment peut-on diriger Wagner sans avoir lu Schopenhauer et Nietzsche?

La connaissance des langues est également très importante et tout chef doit apprendre au moins l'allemand et l'italien.

De plus, le chef d'orchestre doit être doué d'une grande énergie mentale, qui va lui permettre d'avoir de l'ascendant sur les musiciens et sur le public. C'est alors que le message musical passera de la scène à la salle.

Mais le public ignore souvent le rôle qu'il joue dans la réussite d'un concert et, à cet égard, je dois louer le public allemand en particulier pour le respect de la musique dont il fait preuve lorsqu'il se trouve dans une salle de concert. La qualité d'écoute de ce public se traduit par un silence impressionnant, et celui-ci est, immanquablement, une source d'inspiration pour les musiciens. Trop souvent, et en Amérique du Nord en particulier, où les salles sont très grandes et la communication, de ce fait, difficile, le public, par son manque de concentration, ses toussotements, ses bavardages, peut ruiner une exécution.

J'ajouterai que, lorsque tous les éléments dont je vous ai parlé sont réunis, lorsqu'on a eu la satisfaction d'avoir contribué à la formation d'un grand orchestre et qu'on a la chance de le diriger, comme c'est mon cas, lorsqu'on se réjouit chaque jour de travailler avec tous ces êtres humains, ces musiciens admirables, le concert, cet aboutissement ultime, devient alors une raison d'être et un acte de foi.

Discographie

DECCA

SAINT-SAËNS: *Intégrale des concertos pour piano* (n°s 1 à 5) (Pascal Rogé, pianiste), *Le Carnaval des animaux* (Pascal Rogé et Christina Ortiz) — London Philharmonic Orchestra. (Coffret de 3 disques)

SAINT-SAËNS: *La Jeunesse d'Hercule*, *Le Rouet d'Omphale*, *Phaéton*, *Danse macabre*, *Marche héroïque* — Philharmonia Orchestra.

SAINT-SAËNS: *La Jeunesse et Rondo capricciosi, Havanaise;* CHAUSSON: *Poème;* RAVEL: *Tzigane* (Kyung-Wha Chung, violoniste) — Royal Philharmonic Orchestra. (London — CS7073)

SCHUMANN: *Concerto pour piano,* op. 54; RACHMANINOV: *Deuxième Concerto pour piano* (Alicia de Larrocha, pianiste) — Royal Philharmonic Orchestra.

RAVEL: *Daphnis et Chloé* — Orchestre symphonique de Montréal. (LDR 71028)

LALO: *Symphonie espagnole;* SAINT-SAËNS: *Concerto pour violon n° 1* (Kyung-Wha Chung, violoniste) — Orchestre symphonique de Montréal. (LDR 71029)

RODRIGO: *Concierto de Aranjuez, Fantasia para un gentilhombre* (Carlos Bonnel, guitariste) — Orchestre symphonique de Montréal. (LDR 71027)

TCHAÏKOVSKI: *Variations rococo, Concerto pour piano n⁰ 1,* (Myung-Whun Chung, pianiste et Myung-Wha Chung, violoncelliste) — Los Angeles Philharmonic.

STRAVINSKI: *Symphonie en do, Symphonie en trois mouvements* — Orchestre de la Suisse romande.

RAVEL: *Rhapsodie espagnole, La Valse, Boléro, Alborada del gracioso* — Orchestre symphonique de Montréal. (LDR 71059)

DE FALLA: *El Sombrero de tres picos* (ballet complet), *El Amor brujo* — Orchestre symphonique de Montréal. (LDR 71060)

MENDELSSOHN: *Concerto pour violon et orchestre;* TCHAÏKOVSKI: *Concerto pour violon et orchestre* (Kyung-Wha Chung, violoniste) — Orchestre symphonique de Montréal.

RODRIGO: *Concierto de Aranjuez,* (Marisa Robles, harpe); MORENOBUENDIA: *Suite concertante* (Marisa Robles, harpe) — Philharmonia Orchestra. (411-738-)

RAVEL: *Concerto pour piano en sol majeur, Concerto pour la main gauche* (Pascal Rogé, pianiste), *Fanfare pour le ballet «L'Éventail de Jeanne», Une barque sur l'océan, Menuet antique* — Orchestre symphonique de Montréal. (LDR 71092)

RESPIGHI: *Feste romane, Fontane di Roma, Pini di Roma* — Orchestre symphonique de Montréal. (LDR 71091)

SAINT-SAËNS: *Symphonie n⁰ 3, op. 78 en do mineur* (Peter Hurford, organiste) — Orchestre symphonique de Montréal. (LDR 71090)

MENDELSSOHN: *Concertos pour piano n°s 1 et 2* (Andras Schiff, pianiste) — Bayerischer Rundfunk Orchester.

RIMSKI-KORSAKOV: *Schéhérazade, Capriccio espagnol* — Orchestre symphonique de Montréal. (410-253-1)

RAVEL: *Ma Mère l'Oye, Le Tombeau de Couperin, Valses nobles et sentimentales, Pavane pour une infante défunte* — Orchestre symphonique de Montréal. (410-254-1)

NOËL-NOËL (Leontyne Price, soprano) — Orchestre symphonique de Montréal. (410-198-1)

OFFENBACH: *Gaieté parisienne* (ballet); GOUNOD: Ballet tiré de *Faust* — Orchestre symphonique de Montréal. (411-708-1)

STRAVINSKI: *Le Sacre du printemps, Symphonies pour instruments à vent* (1920) — Orchestre symphonique de Montréal. (414-202-1)

BERLIOZ: *Symphonie fantastique* — Orchestre symphonique de Montréal. (414-203-1)

STRAVINSKI: *L'Oiseau de feu* (version intégrale, 1910), *Scherzo fantastique, Feux d'artifice* — Orchestre symphonique de Montréal. (À paraître)

VON SUPPE: *Huit Ouvertures* — Orchestre symphonique de Montréal.

BERLIOZ: *Roméo et Juliette* (Florence Quivar, mezzo-soprano; Alberto Cupido, ténor; Tom Krause, baryton), *Symphonie funèbre et triomphale* (2 disques) — Orchestre symphonique de Montréal. (À paraître)

TCHAÏKOVSKI: *Capriccio italien, Casse-Noisette, suite n⁰ 1, Marche slave, Ouverture 1812* — Orchestre symphonique de Montréal.

MOUSSORGSKY: *Khovantchina*, introduction, *Une nuit sur le mont Chauve*; MOUSSORGSKY-RAVEL: *Tableaux d'une exposition*; RIMSKI-KORSAKOV: *La Grande Pâque russe*, ouverture — Orchestre symphonique de Montréal. (À paraître)

MENDELSSOHN: *Songe d'une nuit d'été* (extraits), *Les Hébrides*, ouverture, *Ruy Blas*, ouverture, *Die Schoene Melusine*, ouverture, *Heimkehr aus dem Fremde*, ouverture. (À paraître)

HOLST: *Les Planètes* — Orchestre symphonique de Montréal. (À paraître)

DEUTSCHE GRAMMOPHON

PAGANINI: *Six concertos pour violon* (Salvatore Accardo, violoniste), London Philharmonic Orchestra. (Coffret de 5 disques — 2740 121)

PAGANINI: *Concerto n° 1 pour violon et orchestre*, *Le Streghe*, op. 8 (Salvatore Accardo, violoniste) — London Philharmonic Orchestra. (2530 714)

PAGANINI: *Concerto n° 2 pour violon et orchestre (La Campanella)*, *La Primavera*, *Variazioni sul tema «Non più mesta» di Rossini* (Salvatore Accardo, violoniste) — London Philharmonic Orchestra. (2530 900)

PAGANINI: *Concerto n° 3 pour violon et orchestre* (Salvatore Accardo, violoniste), *Sonate pour alto et orchestre* (Dino Asciolla, altiste) — London Philharmonic Orchestra. (2530 629)

PAGANINI: *Concerto n° 5 pour violon et orchestre*, *Maestosa sonata sentimentale* (Salvatore Accardo, violoniste) — London Philharmonic Orchestra. (2530 961)

PAGANINI: *Concerto n° 6 pour violon et orchestre* (Salvatore Accardo, violoniste) — London Philharmonic Orchestra. (2530 467)

PAGANINI: *Sonata Napoleone*, *Variazioni sur un tema di Weigl*, *I palpiti*, *Perpetuella*, *Maestosa sonata sentimentale* (Salvatore Accardo, violoniste) — London Philharmonic Orchestra. (2536 376)

STRAVINSKI: *Petrouchka*, ballet (version originale 1911) — London Symphony Orchestra. (2530 711, aussi sur cassette)

TCHAÏKOVSKI: *Concerto nº 1 pour piano* (Martha Argerich, pianiste) — Royal Philharmonic Orchestra. (Deutsche Resonance 2535 295)

DOMPIERRE: *Concerto pour piano et orchestre* (Édith Béluse, pianiste), *Harmonica Flash* (Claude Garden, harmonica) — Orchestre symphonique de Montréal. (2531 265, aussi sur cassette)

RCA

Musique française:

IBERT: *Concerto pour flûte*; CHAMINADE: *Concertino pour flûte*; FAURE: *Fantaisie*; POULENC: *Sonate pour flûte* (James Galway, flûtiste) — Royal Philharmonic Orchestra. (RL 25109, aussi sur cassette)

EMI

(*Classics for pleasure*)

MOZART: *Concerto pour piano*, K. 595, *Concerto pour piano*, K. 537, «du couronnement» (Rafael Orozco, pianiste) — English Chamber Orchestra.

PHILIPS

MENDELSSOHN: *Deux Concertos pour violon* (Salvatore Accardo, violoniste) — London Philharmonic Orchestra. (9500 154)

STERLING

STENHAMMAR: *Concerto pour piano nº 1* (Irène Mannheimer, pianiste) — Goteborgs Symfoniker. (S 1004)

CBS

D'INDY: *Symphonie sur un chant montagnard*; FAURE: *Ballade*;
FRANCK: *Variations symphoniques* (Philippe Entremont,
pianiste) — Philharmonia Orchestra.

ERATO

DE FALLA: *El Retablo de Maese Pedro, Concerto pour clavecin
et orchestre, Psyché pour voix et orchestre* (Robert-Veyron
Lacroix, clavecin, etc.) (STU 70713 — aussi sur Musical
Heritage MHS 1746)

HONEGGER: *Le Roi David,* psaume symphonique (Christine
Eda-Pierre, soprano, Jean Desailly, narrateur, choeur et or-
chestre) (coffret de 2 disques STU 70667/668, aussi sur
Musical Heritage MH 1392-1393)

STRAVINSKI: *Histoire du soldat*, conte musical avec comédiens
et narrateur (STU 70620 — paru aussi sur Musical Heritage
MHS 1356)

STRAVINSKI: *Pulcinella* (ballet), *Apollon Musagète* (ballet) —
English Chamber Orchestra. (STU 70795)

STRAVINSKI: *Suite d'orchestre de l'Histoire du soldat, Octuor
pour instruments à vent, Trois pièces pour clarinettes.* (STU
70785)

STRAVINSKI: *Les Noces* (choeur et orchestre), *Ragtime pour
onze instruments, Renard*, histoire burlesque chantée et
jouée. (STU 70737)

SIBELIUS: *Concerto pour violon* et *Six Humoresques* (Pierre
Amoyal, violoniste) — Philharmonia Orchestra.

LALO: *Concerto pour violoncelle* (Frédéric Lodéon); CAPLET:
Épiphanie (Frederic Lodéon) — Philharmonia Orchestra.
(STU 71368 — aussi sur cassette)

TCHAÏKOVSKI: *Concerto pour violon, Sérénade mélancolique, Valse scherzo* (Pierre Amoyal, violoniste) — Philharmonia Orchestra.

TCHAÏKOVSKI: *Concerto pour piano et orchestre* (Pascal DeVoyon, pianiste) — Philharmonia Orchestra.

FAURE: *Pénélope* (version intégrale) (Jessye Norman, J. Van Dam, A. Vanzo, etc.) — Orchestre de l'Opéra de Monte-Carlo. (coffret de 3 disques, première mondiale)

CHABRIER: *Le Roi malgré lui* (version intégrale), (Barbara Hendricks, Isabelle Garcisane, Jean-Philippe Lafont, Gino Quilico, Choeurs de Radio-France) — Nouvel Orchestre philharmonique de Radio-France.

HONEGGER: *Symphonie n° 1, Pastorale d'été, Pacific 231, Rugby, Mouvement symphonique n° 3* — Bayerischer Rundfunk Orchester.

HONEGGER: *Symphonies n°s 2 et 4* — Bayerischer Rundfunk Orchester.

HONEGGER: *Symphonies n°s 3 et 5* — Bayerischer Rundfunk Orchester.

ROUSSEL: *Symphonies n°s 1 et 4* — Orchestre national de France.

ROUSSEL: *Symphonies n°s 2 et 3* — Orchestre national de France.

ROUSSEL: *Bacchus et Ariane* (version intégrale), *Suite en fa* — Orchestre de Paris.

MBSO

GERSHWIN: *Porgy and Bess, Symphonic Picture for orchestra Concerto en fa pour piano et orchestre* (Daniel Wayenberg, pianiste) — Orchestre symphonique de Berne. (Album commémoratif pour le 100ᵉ anniversaire de la fondation de l'orchestre réalisé à partir d'une bande privée de la captation du concert du 25 septembre 1975.) (1001)

BIS

DEBUSSY: *Prélude à l'après-midi d'un faune* — Göteborg Symfoniker. (Enregistrements 1930-1978, 25 avril 1978)

ROSENBERG: *Symphonie n⁰ 6* «Simfonia semplice» (1951)— Göeteborg Symfoniker. (LP — 301/303 Mono 3 Stéréo)

ÉTIQUETTE N D R

DEBUSSY: *Trois Nocturnes.* — Choeurs et Orchestre symphonique de la Radio Nord-Allemande, 11 janvier 1982. (F 668 — 120 B — Face 2)

MATTHUS: *Concerto pour trompette, timbales et orchestre* — Orchestre de la Radio Nord-Allemande (Hannes Lätin, trompette; Heinz Haedler, timbales) 20 février 1984. (66 — 23519 — Face I)

CAPRICE

EKLUND: *Concerto pour cor* (1979) (Albert Linder, cor), 1979-04-06. (CAP 1144)

PRIX ET DISTINCTIONS HONORIFIQUES

PAGANINI: *Six concertos pour violon* (Salvatore Accardo) (DECCA)
London Philharmonic Orchestra
- Premio della critica discografica italiana
- Prix Caecilia de l'Union de la presse musicale belge

TCHAÏKOVSKI: *Concerto pour piano n° 1* (Martha Argerich) (DGG)
Royal Philharmonic Orchestra
- Edison Award, Amsterdam

HONEGGER: *Le Roi David*, psaume symphonique (ERATO).
- Grand Prix spécial du 25e anniversaire de l'Académie du Disque Français

STRAVINSKI: *L'Histoire du soldat* (ERATO).
- Grand Prix du Disque de l'Académie Charles Cros

LALO: *Concerto pour violoncelle*; CAPLET: *Épiphanie* (Frédéric Lodéon) (ERATO)
- Grand Prix du Disque de l'Académie Charles Cros

FAURÉ: *Pénélope* (Jessye Norman, J. Van Dam, A. Vanzo) (ERATO)
Orchestre de l'Opéra de Monte-Carlo

- Grand Prix du Disque de l'Académie du Disque Français, 1981
- Prix Caecilia de l'Union de la presse musicale belge, 1981
- Grand Prix du Disque de l'Académie Charles Cros, 1981
- High Fidelity International Record Critic Award, 1982

RAVEL: *Daphnis et Chloé* (version intégrale) (DECCA)
Orchestre symphonique de Montréal
- Grand Prix du Disque de l'Académie Charles Cros, 1982
- Le Prix JUNO — Canada, avril 1982
- Le Prix Mondial du Disque de Montreux, septembre 1982
- 16 Best Recordings of 1982 — *Stereo Review*, décembre 1982
- Le Grand Prix du Disque — Canada, juillet 1983
- The 21st Annual Japan Record Academy Awards, décembre 1983
- 25 Top Compact Discs — *Strero Review*, janvier 1984

RAVEL: *Rhapsodie espagnole, La Valse, Boléro, Alborada del gracioso* (DECCA)
Orchestre symphonique de Montréal
- Le Prix FÉLIX (ADISQ) — Canada, octobre 1983
- The Gold Record — Canada, novembre 1983
- The Platinum Record — Canada, décembre 1984

DE FALLA: *El Sombrero de tres picos* (version intégrale) — *El Amor brujo* (DECCA)
Orchestre symphonique de Montréal
- Le Prix Georges-Auric de l'Académie du Disque Français, 1984
- 25 Top Compact Discs — *Stereo Review*, janvier 1984
- 12 Best Records of the Year Awards — *Stereo Review*, février 1984
- High Fidelity International Record Critics Award (IRCA), juillet 1984

RODRIGO: *Concierto de Aranjuez — Fantasia para un gentil-hombre* (DECCA)

Orchestre symphonique de Montréal (Carlos Bonell, guitariste)
* 25 Top Compact Discs — *Stereo Review*, janvier 1984

SAINT-SAËNS: *Concertos pour piano n°s 1 à 5* (Pascal Rogé, pianiste) (DECCA)
London Philharmonic Orchestra
* Grand Prix de l'Académie du Disque Français, 1983

RAVEL: *Concerto pour piano en sol, Concerto pour la main gauche* (Pascal Rogé) (DECCA)
Orchestre symphonique de Montréal
* Le Prix du Concerto Français de l'Académie du Disque Français, février 1984
* Edison Award — Amsterdam, 1984

SAINT-SAËNS: *Symphonie n° 3* (avec orgue) (Peter Hurford, organiste) (DECCA)
Orchestre symphonique de Montréal
* Le Prix de la Musique Française de l'Académie du Disque Français, février 1984

HONEGGER: *Symphonie n° 3* («Symphonie liturgique»), *Symphonie n° 5* («Di tre re») (ERATO)
Bayerischer Rundfunk Orchester
* Grand Prix Audiovisuel de l'Europe de l'Académie du Disque Français, catégorie «Musique symphonique française», novembre 1984

CHABRIER: *Le Roi malgré lui* (version intégrale) (Barbara Hendricks, Isabelle Garcisane, Jean-Philippe Lafont, Gino Quilico, Choeurs de Radio-France)
* Mention spéciale de l'Académie du Disque Français, catégorie «Théâtre lyrique», novembre 1984
* Recors of the Year Award — *Stereo Review*, février 1986

Toute la production de l'Orchestre symphonique
de Montréal de Juillet 83 à Juillet 84,
* Le Prix FÉLIX (ADISQ), Microsillon de l'année, catégorie classique, Canada, octobre 1984

STRAVINSKI: *Le Sacre du printemps, Symphonies d'instruments à vent* (DECCA)
Orchestre symphonique de Montréal
• Le Prix FÉLIX (ADISQ), Microsillon de l'année, catégorie classique, Canada, octobre 1985

RAVEL: *Ma Mère l'Oye, Le Tombeau de Couperin, Valses nobles et sentimentales, Pavane pour une infante défunte* (DECCA)
Orchestre symphonique de Montréal
• Le Prix JUNO, Meilleur enregistrement classique, Canada, novembre 1985

BERLIOZ: *Symphonie fantastique* (DECCA)
Orchestre symphonique de Montréal
• Grand Prix du Président de la République (Académie Nationale du Disque Français), décembre 1985

HONEGGER: *Symphonie nº 1, Pastorale d'été, Pacific 231, Rugby, Mouvement symphonique nº 3* (ERATO)
Bayerischer Rundfunk Orchester
• Prix José Bruyr (Grand Prix du Disque de l'Académie Charles Cros), avril 1986

NOMINATIONS POUR LES GRAMMY AWARDS (Los Angeles)

Musique française: IBERT: *Concerto pour flûte;* CHAMINADE: *Concertino pour flûte;* FAURÉ: *Fantaisie* — POULENC: *Sonate pour flûte*
(James Galway, flûtiste)
Royal Philharmonic Orchestra (RCA)
1982

SCHUMANN: *Concerto pour piano,* op. 54; RACHMANINOV: *Concerto pour piano nº 2*
(Alicia de Larrocha, pianiste)
Royal Philharmonic Orchestra (DECCA)
1983

FAURÉ: *Pénélope* (Complete opera)
(Jessye Norman, J. Van Dam, A. Vanzo)
Orchestre de l'Opéra de Monte-Carlo (ERATO)
1983

NOËL-NOËL *(Christmas Carols)*
(Léontyne Price, soprano)
Orchestre symphonique de Montréal (DECCA)
1984

CHARLES DUTOIT A ENREGISTRÉ AVEC LES ORCHESTRES SUIVANTS:

London Philharmonic Orchestra
Philharmonia Orchestra (Londres)
London Symphony Orchestra
Royal Philharmonic Orchestra (Londres)
English Chamber Orchestra (Londres)
London Sinfonietta
Göteborgs Symfoniker
Orchestre de la Suisse romande
Orchestre de l'Opéra de Monte-Carlo
Orchestre symphonique de Montréal
Los Angeles Philharmonic Orchestra
Bayerischer Rundfunk Orchester (Munich)
Nouvel Orchestre Philharmonique de Radio-France
Orchestre national de France
Orchestre de Paris
Orchestre symphonique de Berne
Norddeutsche Rundfund Orchester

TABLE DES MATIÈRES

Ouvrages parus chez les éditeurs du groupe Sogides

LES EDITIONS DE L'HOMME

ANIMAUX

* **Art du dressage, L',** Chartier Gilles
Bien nourrir son chat, D'Orangeville Christian
Cheval, Le, Leblanc Michel
Chien dans votre vie, Le, Margolis Matthew et Swan Marguerite
* **Éducation du chien de 0 à 6 mois, L',** DeBuyser Dr Colette et Dr Dehasse Joël
Encyclopédie des oiseaux, Godfrey W. Earl
Mammifères de mon pays, Duchesnay St-Denis J. et Dumais Rolland
* **Mon chat, le soigner, le guérir,** D'Orangeville Christian
Observations sur les mammifères, Provencher Paul
Papillons du Québec, Veilleux Christian et Prévost Bernard
Petite ferme, T. 1, Les animaux, Trait Jean-Claude

Vous et votre berger allemand, Eylat Martin
Vous et votre boxer, Herriot Sylvain
Vous et votre caniche, Shira Sav
Vous et votre chat de gouttière, Gadi Sol
Vous et votre chow-chow, Pierre Boistel
Vous et votre doberman, Denis Paula
Vous et votre husky, Eylat Martin
Vous et votre labrador, Van Der Heyden Pierre
Vous et vos oiseaux de compagnie, Huard-Viau Jacqueline
Vous et votre persan, Gadi Sol
Vous et votre setter anglais, Eylat Martin
Vous et vos poissons d'aquarium, Ganiel Sonia
Vous et votre siamois, Eylat Odette

ARTISANAT/ARTS MÉNAGERS

Appareils électro-ménagers, Prentice-Hall of Canada
* **Art du pliage du papier,** Harbin Robert
Artisanat québécois, T. 1, Simard Cyril
Artisanat québécois, T. 2, Simard Cyril
Artisanat québécois, T. 3, Simard Cyril
Artisanat québécois, T.4, Simard Cyril, Bouchard Jean-Louis
Bon Fignolage, Le, Arvisais Dolorès A.
Coffret artisanat, Simard Cyril
Comment aménager une salle
Comment utiliser l'espace
Construire sa maison en bois rustique, Mann D. et Skinulis R.

Crochet Jacquard, Le, Thérien Brigitte
Cuir, Le, Saint-Hilaire Louis et Vogt Walter
Décapage-rembourrage
Décoration intérieure, La,
Dentelle, T. 1, La, De Seve Andrée-Anne
Dentelle, T. 2, La, De Seve Andrée-Anne
Dessiner et aménager son terrain, Prentice-Hall of Canada
Encyclopédie de la maison québécoise, Lessard Michel

Encyclopédie des antiquités, Lessard Michel
Entretenir et embellir sa maison, Prentice-Hall of Canada
Entretien et réparation de la maison, Prentice-Hall of Canada
Guide du chauffage au bois, Flager Gordon
J'apprends à dessiner, Nash Joanna
Je décore avec des fleurs, Bassili Mimi
J'isole mieux, Eakes Jon
Mécanique de mon auto, La, Time-Life Book
Menuiserie, La, Prentice-Hall of Canada

* Noeuds, Les, Shaw George Russell
Outils manuels, Les, Prentice-Hall of Canada
Petits appareils électriques, Prentice-Hall of Canada
Piscines, barbecues et patio
Terre cuite, Fortier Robert
Tissage, Le, Grisé-Allard Jeanne et Galarneau Germaine
Tout sur le macramé, Harvey Virginia L.
Trucs ménagers, Godin Lucille
Vitrail, Le, Bettinger Claude

ART CULINAIRE

À table avec soeur Angèle, Soeur Angèle
Art d'apprêter les restes, L', Lapointe Suzanne
Art de la cuisine chinoise, L', Chan Stella
Art de la table, L', Du Coffre Marguerite
Barbecue, Le, Dard Patrice
Bien manger à bon compte, Gauvin Jocelyne
Boîte à lunch, La, Lambert-Lagacé Louise
Brunches & petits déjeuners en fête, Bergeron Yolande
Cheddar, Le, Clubb Angela
Cocktails & punchs au vin, Poister John
Cocktails de Jacques Normand, Normand Jacques
Coffret la cuisine
Confitures, Les, Godard Misette
Congélation de A à Z, La, Hood Joan
Congélation des aliments, Lapointe Suzanne
Conserves, Les, Sansregret Berthe
Cornichons, Ketchups et Marinades, Chesman Andrea
Cuisine au wok, Solomon Charmaine
Cuisine chinoise, La, Gervais Lizette
Cuisine de Pol Martin, Martin Pol
Cuisine facile aux micro-ondes, Saint-Amour Pauline
Cuisine joyeuse de soeur Angèle, La, Soeur Angèle
Cuisine micro-ondes, La, Benoit Jehane
Cuisine santé pour les aînés, Hunter Denyse
Cuisiner avec le four à convection, Benoit Jehane

Cuisinez selon le régime Scarsdale, Corlin Judith
Faire son pain soi-même, Murray Gill Janice
Faire son vin soi-même, Beaucage André
Fondues & flambées de maman Lapointe, Lapointe Suzanne
Fondues, Les, Dard Patrice
Guide canadien des viandes, Le, App. & Services Canada
Muffins, Les, Clubb Angela
Nouvelle cuisine micro-ondes, La, Marchand Marie-Paul et Grenier Nicole
Nouvelle cuisine micro-ondes II, La, Marchand Marie-Paul, Grenier Nicole
Pâtes à toutes les sauces, Les, Lapointe Lucette
Pâtés et galantines, Dard Patrice
Pâtisserie, La, Bellot Maurice-Marie
Pizza, La, Dard Patrice
Poissons et fruits de mer, Sansregret Berthe
Recettes au blender, Huot Juliette
Recettes canadiennes de Laura Secord, Canadian Home Economics Association
Recettes de gibier, Lapointe Suzanne
Recettes de maman Lapointe, Les, Lapointe Suzanne
Recettes Molson, Beaulieu Marcel
Robot culinaire, Le, Martin Pol
Salades, sandwichs, hors-d'oeuvre, Martin Pol

BIOGRAPHIES POPULAIRES

Boy George, Ginsberg Merle
Daniel Johnson, T. 1, Godin Pierre
Daniel Johnson, T. 2, Godin Pierre
Daniel Johnson — Coffret, Godin Pierre
Dans la fosse aux lions, Chrétien Jean
Duplessis, T. 1 — L'ascension, Black Conrad
Duplessis, T. 2 — Le pouvoir, Black Conrad
Duplessis — Coffret, Black Conrad
Dynastie des Bronfman, La, Newman Peter C.

Establishment canadien, L', Newman Peter C.
Frère André, Le, Lachance Micheline
Mastantuono, Mastantuono Michel
Maurice Richard, Pellerin Jean
Mulroney, Macdonald L.I.
Nouveaux Riches, Les, Newman Peter C.
Prince de l'Église, Le, Lachance Micheline
Saga des Molson, La, Woods Shirley

DIÉTÉTIQUE

Contrôlez votre poids, Ostiguy Dr Jean-Paul
* **Cuisine sage,** Lambert-Lagacé Louise
Diététique dans la vie quotidienne, Lambert-Lagacé Louise
* **Maigrir en santé,** Hunter Denyse
* **Menu de santé,** Lambert-Lagacé Louise
Nouvelle cuisine santé, Hunter Denyse
Oubliez vos allergies et... bon appétit, Association de l'information sur les allergies
Petite & grande cuisine végétarienne, Bédard Manon

Plan d'attaque Weight Watchers, Le, Nidetch Jean
Recettes pour aider à maigrir, Ostiguy Dr Jean-Paul
* **Régimes pour maigrir,** Beaudoin Marie-Josée
Sage Bouffe de 2 à 6 ans, La, Lambert-Lagacé Louise
Weight Watchers — cuisine rapide et savoureuse, Weight Watchers
Weight Watchers-Agenda 85 — Français, Weight Watchers
Weight Watchers-Agenda 85 — Anglais, Weight Watchers

DIVERS

* **Acheter ou vendre sa maison,** Brisebois Lucille
* **Acheter et vendre sa maison ou son condominium,** Brisebois Lucille
* **Bourse, La,** Brown Mark
Chaînes stéréophoniques, Les, Poirier Gilles
* **Choix de carrières, T. 1,** Milot Guy
* **Choix de carrières, T. 2,** Milot Guy
* **Choix de carrières, T. 3,** Milot Guy
* **Comment rédiger son curriculum vitae,** Brazeau Julie
Conseils aux inventeurs, Robic Raymond
* **Dictionnaire économique et financier,** Lafond Eugène
* **Faire son testament soi-même,** Me Poirier Gérald, Lescault Nadeau Martine (notaire)
* **Faites fructifier votre argent,** Zimmer Henri B.
* **Guide de la haute-fidélité, Le,** Prin Michel
* **Je cherche un emploi,** Brazeau Julie

* **Loi et vos droits, La,** Marchand Paul-Émile
* **Règles d'or de la vente, Les,** Kahn George N.
* **Roulez sans vous faire rouler, T. 3,** Edmonston Philippe
Savoir vivre aujourd'hui, Fortin Jacques Marcelle
Séjour dans les auberges du Québec, Cazelais Normand, Coulon Jacques
Stratégies de placements, Nadeau Nicole
Temps des fêtes au Québec, Le, Montpetit Raymond
Tenir maison, Gaudet-Smet Françoise
* **Tout ce que vous devez savoir sur le condominium,** Dubois Robert
Univers de l'astronomie, L', Tocquet Robert
Vente, La, Hopkins Tom
Votre système vidéo, Boisvert Michel, Lafrance André A.
* **Week-end à New York,** Tavernier-Cartier Lise

ENFANCE

ÉSOTÉRISME

HISTOIRE

INFORMATIQUE

JARDINAGE

Arbres, haies et arbustes, Pouliot Paul
Culture des fleurs, des fruits, Prentice-Hall of Canada
Encyclopédie du jardinier, Perron W.H.
Guide complet du jardinage, Wilson Charles

Petite ferme, T. 2 — Jardin potager, Trait Jean-Claude
Plantes d'intérieur, Les, Pouliot Paul
Techniques du jardinage, Les, Pouliot Paul
* **Terrariums, Les,** Kayatta Ken

JEUX/DIVERTISSEMENTS

Améliorons notre bridge, Durand Charles
* **Bridge, Le,** Beaulieu Viviane
Clés du scrabble, Les, Sigal Pierre A.
Collectionner les timbres, Taschereau Yves
* **Dictionnaire des mots croisés, noms communs,** Lasnier Paul
* **Dictionnaire des mots croisés, noms propres,** Piquette Robert
* **Dictionnaire raisonné des mots croisés,** Charron Jacqueline

Finales aux échecs, Les, Santoy Claude
Jeux de société, Stanké Louis
* **Jouons ensemble,** Provost Pierre
* **Ouverture aux échecs,** Coudari Camille
Scrabble, Le, Gallez Daniel
Techniques du billard, Morin Pierre
* **Voir clair aux échecs,** Tranquille Henri

LINGUISTIQUE

Améliorez votre français, Laurin Jacques
* **Anglais par la méthode choc, L',** Morgan Jean-Louis
Corrigeons nos anglicismes, Laurin Jacques
* **J'apprends l'anglais,** Silicani Gino

Notre français et ses pièges, Laurin Jacques
Petit dictionnaire du joual, Turenne Auguste
Secrétaire bilingue, La, Lebel Wilfrid
Verbes, Les, Laurin Jacques

LIVRES PRATIQUES

Bonnes idées de maman Lapointe, Les, Lapointe Lucette

Temps c'est de l'argent, Le, Davenport Rita

MUSIQUE ET CINÉMA

* **Belles danses, Les,** Dow Allen
* **Guitare, La,** Collins Peter

Wolfgang Amadeus Mozart raconté en 50 chefs-d'oeuvre, Roussel Paul

NOTRE TRADITION

Coffret notre tradition
Écoles de rang au Québec, Les, Dorion Jacques
Encyclopédie du Québec, T. 1, Landry Louis
Encyclopédie du Québec, T. 2, Landry Louis
Histoire de la chanson québécoise, L'Herbier Benoît

Maison traditionnelle, La, Lessard Micheline
Moulins à eau de la vallée du Saint-Laurent, Adam Villeneuve
Objets familiers de nos ancêtres, Genet Nicole
Vive la compagnie, Daigneault Pierre

PHOTOGRAPHIE (ÉQUIPEMENT ET TECHNIQUE)

* **Apprenez la photographie avec Antoine Desilets,** Desilets Antoine
Chasse photographique, La, Coiteux Louis
8/Super 8/16, Lafrance André
Initiation à la Photographie, London Barbara
Initiation à la Photographie-Canon, London Barbara
Initiation à la Photographie-Minolta, London Barbara
Initiation à la Photographie-Nikon, London Barbara
Initiation à la Photographie-Olympus, London Barbara
Initiation à la Photographie-Pentax, London Barbara
* **Je développe mes photos,** Desilets Antoine
* **Je prends des photos,** Desilets Antoine
* **Photo à la portée de tous,** Desilets Antoine
Photo guide, Desilets Antoine
* **Technique de la photo, La,** Desilets Antoine

PSYCHOLOGIE

Âge démasqué, L', De Ravinel Hubert
* **Aider mon patron à m'aider,** Houde Eugène
* **Amour de l'exigence à la préférence,** Auger Lucien
Au-delà de l'intelligence humaine, Pouliot Élise
Auto-développement, L', Garneau Jean
Bonheur au travail, Le, Houde Eugène
Bonheur possible, Le, Blondin Robert
Chimie de l'amour, La, Liebowitz Michael
* **Coeur à l'ouvrage, Le,** Lefebvre Gérald
Coffret psychologie moderne
Colère, La, Tavris Carol
* **Comment animer un groupe,** Office Catéchèse
* **Comment avoir des enfants heureux,** Azerrad Jacob
* **Comment déborder d'énergie,** Simard Jean-Paul
Comment vaincre la gêne, Catta Rene-Salvator
* **Communication dans le couple, La,** Granger Luc
* **Communication et épanouissement personnel,** Auger Lucien
Comprendre la névrose et aider les névrosés, Ellis Albert
* **Contact,** Zunin Nathalie
* **Courage de vivre, Le,** Kiev Docteur A.
Courage et discipline au travail, Houde Eugène
Dynamique des groupes, Aubry J.-M. et Saint-Arnaud Y.
Élever des enfants sans perdre la boule, Auger Lucien
* **Émotivité et efficacité au travail,** Houde Eugène
Enfants de l'autre, Les, Paris Erna
* **Être soi-même,** Corkille Briggs, D.
* **Facteur chance, Le,** Gunther Max
* **Fantasmes créateurs, Les,** Singer Jérôme
* **J'aime,** Saint-Arnaud Yves
Journal intime intensif, Progoff Ira
Miracle de l'amour, Un, Kaufman Barry Neil
* **Mise en forme psychologique,** Corrière Richard
* **Parle-moi... J'ai des choses à te dire,** Salome Jacques
Penser heureux, Auger Lucien
* **Personne humaine, La,** Saint-Arnaud Yves
* **Première impression, La,** Kleinke Chris, L.
Prévenir et surmonter la déprime, Auger Lucien
* **Psychologie dans la vie quotidienne,** Blank Dr Léonard
* **Psychologie de l'amour romantique,** Braden Docteur N.
* **Qui es-tu grand-mère? Et toi grand-père?,** Eylat Odette
* **S'affirmer et communiquer,** Beaudry Madeleine
* **S'aider soi-même,** Auger Lucien
* **S'aider soi-même davantage,** Auger Lucien
* **S'aimer pour la vie,** Wanderer Dr Zev
* **Savoir organiser, savoir décider,** Lefebvre Gérald
* **Savoir relaxer et combattre le stress,** Jacobson Dr Edmund
* **Se changer,** Mahoney Michael
* **Se comprendre soi-même par des tests,** Collectif
* **Se concentrer pour être heureux,** Simard Jean-Paul

Se connaître soi-même, Artaud Gérard
* Se contrôler par biofeedback, Ligonde Paultre
* Se créer par la Gestalt, Zinker Joseph
* S'entraider, Limoges Jacques
* Se guérir de la sottise, Auger Lucien
Séparation du couple, La, Weiss Robert S.
Sexualité au bureau, La, Horn Patrice

Tendresse, La, Wölfl Norbert
* Vaincre ses peurs, Auger Lucien
Vivre à deux: plaisir ou cauchemar, Duval Jean-Marie
* Vivre avec sa tête ou avec son coeur, Auger Lucien
Vivre c'est vendre, Chaput Jean-Marc
* Vivre jeune, Waldo Myra
* Vouloir c'est pouvoir, Hull Raymond

ROMANS/ESSAIS

Adieu Québec, Bruneau André
Baie d'Hudson, La, Newman Peter C.
Bien-pensants, Les, Berton Pierre
Bousille et les justes, Gélinas Gratien
Coffret Establishment canadien, Newman Peter C.
Coffret Joey
C.P., Susan Goldenberg
Commettants de Caridad, Les, Thériault Yves
Deux innocents en Chine Rouge, Hébert Jacques
Dome, Jim Lyon
Emprise, L', Brulotte Gaétan
IBM, Sobel Robert
Insolences du Frère Untel, Les, Untel Frère

ITT, Sobel Robert
J'parle tout seul, Coderre Émile
Lamia, Thyraud de Vosjoli P.L.
Mensonge amoureux, Le, Blondin Robert
Nadia, Aubin Benoît
Oui, Lévesque René
Premiers sur la Lune, Armstrong Neil
Telle est ma position, Mulroney Brian
Terrorisme québécois, Le, Morf Gustave
Un doux équilibre, King Annabelle
Vrai visage de Duplessis, Le, Laporte Pierre

SANTÉ ET ESTHÉTIQUE

Allergies, Les, Delorme Dr Pierre
Art de se maquiller, L', Moizé Alain
* Bien vivre sa ménopause, Gendron Dr Lionel
Bronzer sans danger, Doka Bernadette
* Cellulite, La, Ostiguy Dr Jean-Paul
Cellulite, La, Léonard Dr Gérard J.
Exercices pour les aînés, Godfrey Dr Charles, Feldman Michael
Face lifting par l'exercice, Le, Runge Senta Maria
Grandir en 100 exercices, Berthelet Pierre
* Guérir ses maux de dos, Hall Dr Hamilton
Médecine esthétique, La, Lanctot Guylaine
Obésité et cellulite, enfin la solution, Léonard Dr Gérard J.
Santé, un capital à préserver, Peeters E.G.
Travailler devant un écran, Feeley, Dr Helen
Coffret 30 jours
30 jours pour avoir de beaux cheveux, Davis Julie

30 jours pour avoir de beaux ongles, Bozic Patricia
30 jours pour avoir de beaux seins, Larkin Régina
30 jours pour avoir de belles cuisses, Stehling Wendy
30 jours pour avoir de belles fesses, Cox Déborah
30 jours pour avoir un beau teint, Zizmor Dr Jonathan
30 jours pour cesser de fumer, Holland Gary, Weiss Herman
30 jours pour mieux organiser, Holland Gary
30 jours pour perdre son ventre, Burstein Nancy
30 jours pour perdre son ventre (homme), Matthews Roy, Burnstein Nancy
30 jours pour redevenir un couple amoureux, Nida Patricia K., Cooney Kevin
30 jours pour un plus grand épanouissement sexuel, Schneider Alan, Laiken Deidre

SEXOLOGIE

Adolescente veut savoir, L', Gendron Lionel
Fais voir, Fleischhaner H.
Guide illustré du plaisir sexuel, Corey Dr Robert E.
Helga, Bender Erich F.
Plaisir partagé, Le, Gary-Bishop Hélène

* **Première expérience sexuelle, La,** Gendron Lionel
* **Sexe au féminin, Le,** Kerr Carmen
* **Sexualité du jeune adolescent,** Gendron Lionel
* **Sexualité dynamique, La,** Lefort Dr Paul
* **Shiatsu et sensualité,** Rioux Yuki

SPORTS

Collection sport: dirigée par **LOUIS ARPIN**

100 trucs de billard, Morin Pierre
5BX Le programme pour être en forme
Apprenez à patiner, Marcotte Gaston
Arc et la Chasse, L', Guardo Greg
* **Armes de chasse, Les,** Petit Martinon Charles
* **Badminton, Le,** Corbeil Jean
* **Canoe-kayak, Le,** Ruck Wolf
* **Carte et boussole,** Kjellstrom Bjorn
* **Chasse au petit gibier, La,** Paquet Yvon-Louis
Chasse et gibier du Québec, Bergeron Raymond
Chasseurs sachez chasser, Lapierre Lucie
* **Comment se sortir du trou au golf,** Brien Luc
* **Comment vivre dans la nature,** Rivière Bill
* **Corrigez vos défauts au golf,** Bergeron Yves
Curling, Le, Lukowich Ed.
Devenir gardien de but au hockey, Allaire François
Encyclopédie de la chasse au Québec, Leiffet Bernard
Entraînement, poids-haltères, L', Ryan Frank
Exercices à deux, Gregor Carol
Golf au féminin, Le, Bergeron Yves
Grand livre des sports, Le, Le groupe Diagram
Guide complet du judo, Arpin Louis
* **Guide complet du self-defense,** Arpin Louis
Guide d'achat de l'équipement de tennis, Chevalier Richard, Gilbert Yvon
* **Guide de survie de l'armée américaine**
Guide des jeux scouts, Association des scouts
Guide du judo au sol, Arpin Louis
Guide du self-defense, Arpin Louis
Guide du trappeur, Le, Provencher Paul

Hatha yoga, Piuze Suzanne
* **J'apprends à nager,** Lacoursière Réjean
* **Jogging, Le,** Chevalier Richard
Jouez gagnant au golf, Brien Luc
Larry Robinson, le jeu défensif, Robinson Larry
Lutte olympique, La, Sauvé Marcel
* **Manuel de pilotage,** Transports Canada
* **Marathon pour tous,** Anctil Pierre
* **Médecine sportive,** Mirkin Dr Gabe
Mon coup de patin, Wild John
* **Musculation pour tous,** Laferrière Serge
Natation de compétition, La, Lacoursière Réjean
Partons en camping, Satterfield Archie, Bauer Eddie
Partons sac au dos, Satterfield Archie, Bauer Eddie
Passes au hockey, Les, Champleau Claude
Pêche à la mouche, La, Marleau Serge
Pêche à la mouche, Vincent Serge-J.
Pêche au Québec, La, Chamberland Michel
* **Planche à voile, La,** Maillefer Gérald
* **Programme XBX,** Aviation Royale du Canada
Provencher, le dernier coureur des bois, Provencher Paul
Racquetball, Corbeil Jean
Racquetball plus, Corbeil Jean
Raquette, La, Osgoode William
* **Règles du golf, Les,** Bergeron Yves
Rivières et lacs canotables, Fédération québécoise du canot-camping
* **S'améliorer au tennis,** Chevalier Richard
Secrets du baseball, Les, Raymond Claude

 le jour,
éditeur

ANIMAUX

ART CULINAIRE ET DIÉTÉTIQUE

ARTISANAT/ARTS MÉNAGERS

DIVERS

Dangers de l'énergie nucléaire, Les, Brunet Jean-Marc

Dis papa c'est encore loin, Corpatnauy Francis

Dossier pollution, Chaput Marcel

Énergie aujourd'hui et demain, De Martigny François

Entreprise, le marketing et, L', Brousseau

Forts de l'Outaouais, Les, Dunn Guillaume

Grève de l'amiante, La, Trudeau Pierre

Hiérarchie ethnique dans la grande entreprise, Rainville Jean

Impossible Québec, Brillant Jacques

Initiation au coopératisme, Béland Claude

Julius Caesar, Roux Jean-Louis

Lapokalipso, Duguay Raoul

Lune de trop, Une, Gagnon Alphonse

Manifeste de l'infonie, Duguay Raoul

Mouvement coopératif québécois, Deschêne Gaston

Obscénité et liberté, Hébert Jacques

Philosophie du pouvoir, Blais Martin

Pourquoi le bill 60, Gérin-Lajoie P.

Stratégie et organisation, Desforges Jean, Vianney C.

Trois jours en prison, Hébert Jacques

Vers un monde coopératif, Davidovic Georges

Vivre sur la terre, St-Pierre Hélène

Voyage à Terre-Neuve, De Gébineau comte

ENFANCE

Aidez votre enfant à choisir, Simon Dr Sydney B.

Deux caresses par jour, Minden Harold

* Enseignants efficaces, Gordon Thomas

Être mère, Bombeck Erma

Parents efficaces, Gordon Thomas

Parents gagnants, Nicholson Luree

Psychologie de l'adolescent, Pérusse-Cholette Françoise

1500 prénoms et significations, Grisé Allard J.

ÉSOTÉRISME

* Astrologie et la sexualité, L', Justason Barbara

Astrologie et vous, L', Boucher André-Pierre

* Astrologie pratique, L', Reinicke Wolfgang

Faire sa carte du ciel, Filbey John

* Géomancie, La, Hamaker Karen

Grand livre de la cartomancie, Le, Von Lentner G.

* Grand livre des horoscopes chinois, Le, Lau Theodora

Graphologie, La, Cobbert Anne

* Horoscope et énergie psychique, Hamaker-Zondag

Horoscope chinois, Del Sol Paula

Lu dans les cartes, Jones Marthy

* Pendule et baguette, Kirchner Georg

* Pratique du tarot, La, Thierens E.

Preuves de l'astrologie, Comiré André

Qui êtes-vous? L'astrologie répond, Tiphaine

Synastrie, La, Thornton Penny

Traité d'astrologie, Hirsig Huguette

Votre destin par les cartes, Dee Nerys

HISTOIRE

Administration en Nouvelle-France, L', Lanctot Gustave

Crise de la conscription, La, Laurendeau André

Histoire de Rougemont, Bédard Suzanne

Lutte pour l'information, La, Godin Pierre

Mémoires politiques, Chaloult René

Rébellion de 1837, Saint-Eustache, Globensky Maximilien

Relations des Jésuites T. 2

Relations des Jésuites T. 3

Relations des Jésuites T. 4

Relations des Jésuites T. 5

JEUX/DIVERTISSEMENTS

Backgammon, Lesage Denis

LINGUISTIQUE

Des mots et des phrases, T. 1, Dagenais Gérard
Des mots et des phrases, T. 2, Dagenais Gérard

Joual de Troie, Marcel Jean

NOTRE TRADITION

Ah mes aïeux, Hébert Jacques

Lettre à un Français qui veut émigrer au Québec, Dubuc Carl

OUVRAGES DE RÉFÉRENCE

Règles d'or de la vente, Les, Kahn George N.

PSYCHOLOGIE

* **Adieu,** Halpern Dr Howard
* **Agressivité créatrice,** Bach Dr George
* **Aimer son prochain comme soi-même,** Murphy Joseph
* **Anti-stress, L',** Eylat Odette
  Arrête! tu m'exaspères, Bach Dr George
  Art d'engager la conversation et de se faire des amis, L', Gabor Don
* **Art de convaincre, L',** Ryborz Heinz
* **Art d'être égoïste, L',** Kirschner Josef
* **Au centre de soi,** Gendlin Dr Eugèr:e
* **Auto-hypnose, L',** Le Cron M. Leslie
  Autre femme, L', Sevigny Hélène
  Bains Flottants, Les, Hutchison Michael
* **Bien dans sa peau grâce à la technique Alexander,** Stransky Judith
  Ces vérités vont changer votre vie, Murphy Joseph
  Chemin infaillible du succès, Le, Stone W. Clément
  Clefs de la confiance, Les, Gibb Dr Jack
  Comment aimer vivre seul, Shanon Lynn
* **Comment devenir des parents doués,** Lewis David
* **Comment dominer et influencer les autres,** Gabriel H.W.
  Comment s'arrêter de fumer, Mc Farland J. Wayne
* **Comment vaincre la timidité en amour,** Weber Éric
  Contacts en or avec votre clientèle, Sapin Gold Carol
* **Contrôle de soi par la relaxation,** Marcotte Claude
  Couple homosexuel, Le, McWhirter David P., Mattison Andrew M.

  Découvrez l'inconscient par la parapsychologie, Ryzl Milan
* **Devenir autonome,** St-Armand Yves
* **Dire oui à l'amour,** Buscaglia Léo
  Enfants du divorce se racontent, Les, Robson Bonnie
* **Ennemis intimes,** Bach Dr George
  Espaces intérieurs, Les, Eisenberg Dr Howard
  États d'esprit, Glasser Dr William
* **Être efficace,** Hanot Marc
  Être homme, Goldberg Dr Herb
* **Fabriquer sa chance,** Gittenson Bernard
  Famille moderne et son avenir, La, Richards Lyn
  Gagner le match, Gallwey Timothy
  Gestalt, La, Polster Erving
  Guide de l'urgence-stress, Reuben Dr David
  Guide du succès, Le, Hopkins Tom
  L'Harmonie, une poursuite du succès, Vincent Raymond
* **Homme au dessert, Un,** Friedman Sonya
  Homme en devenir, L', Houston Jean
* **Homme nouveau, L', Bodymind,** Dychtwald Ken
* **Jouer le tout pour le tout,** Frederick Carl
  Maigrir sans obsession, Orbach Susie
  Maîtriser la douleur, Bogin Meg
  Maîtriser son destin, Kirschner Josef
  Manifester son affection, Bach Dr George
* **Mémoire, La,** Loftus Elizabeth
* **Mémoire à tout âge, La,** Dereskey Ladislaus
* **Mère et fille,** Horwick Kathleen
* **Miracle de votre esprit,** Murphy Joseph

ROMANS/ESSAIS

Jean-Paul ou les hasards de la vie, Bellier Marcel
Johnny Bungalow, Villeneuve Paul
Jolis Deuils, Carrier Roch
Lettres d'amour, Champagne Maurice
Louis Riel patriote, Bowsfield Hartwell
Louis Riel un homme à pendre, Osler E.B.
Ma chienne de vie, Labrosse Jean-Guy
Marche du bonheur, La, Gilbert Normand
Mémoires d'un Esquimau, Metayer Maurice

Mon cheval pour un royaume, Poulin J.
Neige et le feu, La, Baillargeon Pierre
N'Tsuk, Thériault Yves
Opération Orchidée, Villon Christiane
Orphelin esclave de notre monde, Labrosse Jean
Oslovik fait la bombe, Oslovik
Parlez-moi d'humour, Hudon Normand
Scandale est nécessaire, Le, Baillargeon Pierre
Vivre en amour, Delisle Lapierre

SANTÉ

Alcool et la nutrition, L', Brunet Jean-Marc
Bruit et la santé, Le, Brunet Jean-Marc
Chaleur peut vous guérir, La, Brunet Jean-Marc
Échec au vieillissement prématuré, Blais J.
Greffe des cheveux vivants, Guy Dr
Guérir votre foie, Brunet Jean-Marc
Information santé, Brunet Jean-Marc
Magie en médecine, Silva Raymond
Maigrir naturellement, Lauzon Jean-Luc

Mort lente par le sucre, Duruisseau Jean-Paul
40 ans, âge d'or, Taylor Eric
Recettes naturistes pour arthritiques et rhumatisants, Cuillerier Luc
Santé de l'arthritique et du rhumatisant, Labelle Yvan
* Tao de longue vie, Le, Soo Chee
Vaincre l'insomnie, Filion Michel, Boisvert Jean-Marie, Melanson Danielle
Vos aliments sont empoisonnés, Leduc Paul

SEXOLOGIE

* Aimer les hommes pour toutes sortes de bonnes raisons, Nir Dr Yehuda
* Apprentissage sexuel au féminin, L', Kassorla Irene
* Comment faire l'amour à un homme, Penney Alexandra
* Comment faire l'amour à une femme, Morgenstern Michael
* Comment faire l'amour ensemble, Penney Alexandra
* Comment séduire les filles, Weber Éric
Dépression nerveuse et le corps, La, Lowen Dr Alexander
Drogues, Les, Boutot Bruno
* Femme célibataire et la sexualité, La, Robert M.

* Jeux de nuit, Bruchez Chantal
* Massage en profondeur, Le, Bélair Michel
Massage pour tous, Le, Morand Gilles
* Orgasme au féminin, L', L'heureux Christine
* Orgasme au masculin, L', Boutot Bruno
* Orgasme au pluriel, L', Boudreau Yves
Première fois, La, L'Heureux Christine
Rapport sur l'amour et la sexualité, Brecher Edward
Sexualité expliquée aux adolescents, La, Boudreau Yves
Sexualité expliquée aux enfants, La, Cholette Pérusse F.

SPORTS

Baseball-Montréal, Leblanc Bertrand
Chasse au Québec, Deyglun Serge
Chasse et gibier du Québec, Guardo Greg
Exercice physique pour tous, Bohemier Guy
Grande forme, Baer Brigitte
Guide des pistes cyclables, Guy Côté

Guide des rivières du Québec, Fédération canot-kayac
Lecture des cartes, Godin Serge
Offensive rouge, L', Boulonne Gérard
Pêche et coopération au Québec, Larocque Paul
Pêche sportive au Québec, Deyglun Serge

ASTROLOGIE

BIOGRAPHIES

DIVERS

HISTOIRE

HUMOUR

LINGUISTIQUE

NOTRE TRADITION

PSYCHOLOGIE

* **Esprit libre, L',** Powell Robert

ROMANS/ESSAIS

* **Aaron,** Thériault Yves
* **Aaron, 10/10,** Thériault Yves
* **Agaguk,** Thériault Yves
* **Agaguk, 10/10,** Thériault Yves
* **Agénor, Agénor, Agénor et Agénor,** Barcelo François
* **Ah l'amour, l'amour,** Audet Noël
* **Amantes,** Brossard Nicole
* **Après guerre de l'amour, L',** Lafrenière J.
* **Aube,** Hogue Jacqueline
* **Aube de Suse, L',** Forest Jean
* **Aventure de Blanche Morti, L',** Beaudin Beaupré Aline
* **Beauté tragique,** Robertson Heat
* **Belle épouvante, La,** Lalonde Robert
* **Black Magic,** Fontaine Rachel
* **Blocs erratiques,** Aquin Hubert
* **Blocs erratiques, 10/10,** Aquin Hubert
* **Bourru mouillé,** Poupart Jean-Marie
* **Bousille et les justes,** Gélinas Gratien
* **Bousille et les justes, 10/10,** Gélinas Gratien
* **Carolie printemps,** Lafrenière Joseph
* **Charles Levy M.D.,** Bosco Monique
* **Chère voisine,** Brouillet Chrystine
* **Chère voisine, 10/10,** Brouillet Chrystine
* **Chroniques du Nouvel-Ontario,** Brodeur Hélène
* **Confessions d'un enfant,** Lamarche Jacques
* **Corps vêtu de mots, Le,** Dussault Jean
* **Coup de foudre,** Brouillet Chrystine
* **Couvade, La,** Baillie Robert
* **Cul-de-sac, 10/10,** Thériault Yves
* **De mémoire de femme,** Andersen Marguerite
* **Demi-Civilisés, Les, 10/10,** Harvey Jean-Charles
* **Dernier havre, Le, 10/10,** Thériault Yves
* **Dernière chaîne, La,** Latour Chrystine
* **Des filles de beauté,** Baillie Robert
* **Difficiles lettres d'amour,** Garneau Jacques
* **Dix contes et nouvelles fantastiques,** Collectif
* **Dix nouvelles de science-fiction québécoise,** Collectif
* **Dix nouvelles humoristiques,** Collectif
* **Dompteurs d'ours, Le,** Thériault Yves
* **Double suspect, Le,** Monette Madeleine
* **En eaux troubles,** Bowering George
* **Entre l'aube et le jour,** Brodeur Hélène
* **Entre temps,** Marteau Robert
* **Entretiens avec O. Létourneau,** Huot Cécile
* **Esclave bien payée, Une,** Paquin Carole
* **Essai sur l'Hindouisme,** Dussault Jean-Claude
* **Été de Jessica, Un,** Bergeron Alain
* **Et puis tout est silence,** Jasmin Claude
* **Été sans retour, L',** Gevry Gérard
* **Faillite du Canada anglais, La,** Genuist Paul
* **Faire sa mort comme faire l'amour,** Turgeon Pierre
* **Faire sa mort comme faire l'amour, 10/10,** Turgeon Pierre
* **Femme comestible, La,** Atwood Margaret
* **Fille laide, La,** Thériault Yves
* **Fille laide, La, 10/10,** Thériault Yves
* **Fleur aux dents, La,** Archambault Gilles
* **Fragiles lumières de la terre,** Roy Gabrielle
* **French Kiss,** Brossard Nicole
* **Fridolinades, T. 1 (45-46),** Gélinas Gratien
* **Fridolinades, T. 2 (43-44),** Gélinas Gratien
* **Fridolinades, T. 3 (41-42),** Gélinas Gratien
* **Fuites & poursuites,** Collectif
* **Gants jetés, Les,** Martel Émile
* **Grand branle-bas, Le,** Hébert Jacques
* **Grand Elixir, Le,** De Lamirande Claire
* **Grand rêve de madame Wagner, Le,** Lavigne Nicole
* **Histoire des femmes au Québec,** Collectif Clio
* **Holyoke,** Hébert François
* **Homme sous vos pieds, L',** Gevry Gérard
* **Hubert Aquin,** Lapierre René
* **Improbable autopsie, L',** Paré Paul
* **Indépendance oui mais,** Bergeron Gérard
* **IXE-13,** Saurel Pierre
* **Jazzy,** Doerkson Margaret
* **Je me veux,** Lamarche Claude

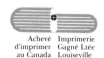
Achevé   Imprimerie
d'imprimer   Gagné Ltée
au Canada   Louiseville